Green Life

Direction de la publication

Isabelle Jeuge-Maynart et Ghislaine Stora

Direction éditoriale

Catherine Delprat

Coordination éditoriale

Nathalie Cornellana et Catherine Maillet

Couverture

Véronique Laporte

Conception graphique et mise en page

Jacqueline Gensollen-Bloch

Fabrication

Donia Faiz

© Larousse, 2017

ISBN : 978 2 03 59286 27

Pour découvrir le blog de Victoria Arias :
mangoandsalt.com

Les Éditions Larousse utilisent des papiers composés de fibres naturelles, renouvelables, recyclables et fabriquées à
partir de bois issus de forêts qui adoptent un système d'aménagement durable. En outre, les Éditions Larousse attendent
de leurs fournisseurs de papier qu'ils s'inscrivent dans une démarche de certification environnementale reconnue.

Le LIVRE du BLOG
Mango & Salt

Green Life

VICTORIA ARIAS

Le Blog
LIFE STYLE
CUISINE, BEAUTÉ,
MAISON,
BIEN-ÊTRE...

LAROUSSE

Sommaire

Avant-propos

Bienvenue dans les pages de *Green Life* !

Que vous manifestiez déjà un intérêt particulier pour la vie au naturel, ou que vous soyez plutôt débutantes, ce livre a été conçu pour vous accompagner dans une vie plus saine et plus respectueuse de l'environnement, en vous apportant un maximum d'inspirations pour le quotidien.

Même lorsque l'on voudrait mieux faire, la vie « verte » peut sembler intimidante, inaccessible. Les nouvelles tendances *healthy* poussent comme des champignons dans les médias, nous incitant à privilégier tel aliment, tel mode de cuisson ou tel régime pour être au mieux, créant un climat de diktats et de confusions pas très inspirant. Et les adeptes convaincus nous semblent parfois à mille lieux de notre réalité, trop peut-être pour que nous puissions nous y identifier.

La bonne nouvelle, c'est qu'il n'est pas nécessaire d'avoir une thèse en nutrition ou des heures de liberté chaque jour pour mener une vie plus naturelle. J'ai moi-même entamé cette démarche avec très peu de connaissances préalables, un niveau proche de zéro en cuisine comme en sport et un double emploi du temps d'étudiante le jour et blogueuse la nuit ! Quatre ans plus tard, elle me satisfait toujours autant et m'apprend de nouvelles choses chaque jour – je ne reviendrais pour rien au monde en arrière.

Pour profiter au mieux de ce livre, il vous faudra simplement un esprit curieux, ouvert, et de la bonne volonté. Vous y découvrirez des solutions simples, personnalisables et adaptées au rythme soutenu des femmes d'aujourd'hui ; certaines demanderont un peu d'organisation, mais jamais de techniques compliquées ni de longs après-midis à surveiller une casserole.

Surtout, j'ai voulu vous transmettre des clés pour comprendre toute l'importance de ce mode de vie, ce qu'il peut nous apporter et pourquoi il nous fait du bien. Considérez ces petites informations comme autant de pistes que vous pourrez approfondir pour vous les approprier définitivement !

Ce livre est divisé en deux grandes parties. La première est dédiée à l'alimentation, avec 150 idées-recettes pour faire le plein d'inspirations saines et veggie – et surtout, authentiquement gourmandes. La deuxième concerne le bien-être et la santé au quotidien : cosmétiques maison, produits ménagers naturels, naturopathie, yoga et Pilates doux, astuces de grand-mère... De quoi insuffler une vraie brise de bien-être à votre quotidien !

Belles découvertes et bon cheminement !

Avant de commencer

Pourquoi vivre plus naturellement ?

CONSOMMER DE FAÇON PLUS NATURELLE, PLUS BIO, MOINS CARNIVORE... TOUT LE MONDE EN PARLE. CELA VOUS INTÉRESSE, MAIS VOUS N'ÊTES PAS SÛR(E) D'ÊTRE PRÊT(E) À CHANGER VOS HABITUDES ? VOICI QUELQUES BONNES RAISONS DE SAUTER LE PAS.

Pour le goût et la qualité

C'est bien connu : les petits plats faits maison, avec de bons produits, sont tellement meilleurs que les versions industrielles en sachet plastique !
En se réorganisant pour inclure davantage d'aliments naturels ou de préparations *home made* dans notre quotidien, on peut contrôler plus facilement ce que l'on ingère, en sachant exactement quels éléments composent la recette, et dans quelles proportions, mais aussi d'où ils proviennent (œufs de batterie ou œufs de plein air, pommes couvertes de pesticides ou produites par le petit maraîcher du coin...). C'est autrement plus clair que de déchiffrer des listes d'ingrédients aux formulations obscures !

Coté cosmétiques

La qualité change beaucoup entre un flacon classique et un soin réalisé avec des produits naturels. Certaines crèmes pour le corps, par exemple, utilisent des huiles minérales (issues de la pétrochimie) et des silicones pour créer un aspect hydraté à la surface de la peau. Au contraire, une peau traitée avec une huile végétale de qualité est véritablement nourrie ; elle profite des bienfaits des acides gras et des nutriments inclus dans l'huile, et reçoit un véritable soin.

Pour notre santé

Les additifs artificiels, les conservateurs douteux et les molécules toxiques sont partout, des aliments industriels aux cosmétiques, en passant par les ingrédients bruts non issus de l'agriculture biologique, les emballages, les objets peints ou vernis, ou encore les produits d'entretien de la maison.

Des cocktails dangereux

Autorisés à faible dose dans chaque produit, ils forment un cocktail beaucoup plus dangereux lorsque nous les additionnons et mélangeons au quotidien : perturbateurs endocriniens, allergisants, cancérogènes, toxiques neurologiques, voire génétiques... Il est impossible, dans notre monde actuel, d'échapper complètement à ces toxines. En choisissant une consommation plus naturelle et plus responsable, néanmoins, il est possible de réduire notre exposition en évitant au maximum les éléments problématiques (additifs artificiels alimentaires ou cosmétiques, plastiques, fruits et légumes très pollués...). À ce sujet, consultez les conseils d'achats p. 26 à 31.

Les substances artificielles ne sont malheureusement pas les seuls dangers pour notre santé : le simple fait de se nourrir de façon déséquilibrée ou peu qualitative (produits transformés, raffinés, pauvres en minéraux, en acides gras essentiels, en vitamines et en fibres) est un facteur largement reconnu de nombreux problèmes sanitaires.

Les fléaux de notre alimentation

Le sucre blanc, ultra raffiné, déséquilibre la flore intestinale et buccale, provoquant caries et fermentation excessive. Mais surtout, il crée d'importants pics de glucose dans le sang. Ceux-ci sont gérés grâce à la production d'insuline par le pancréas ; à long terme, ils peuvent toutefois fatiguer le métabolisme et provoquer des pathologies importantes (résistance à l'insuline, intolérance au glucose, voire diabète de type 2).

Les mauvaises graisses en quantité (matières grasses saturées, acides gras trans...) et la consommation excessive de **sel** menacent quant à elles notre santé cardiovasculaire, en augmentant le taux de mauvais cholestérol dans le sang et la pression artérielle.

Plus globalement, une alimentation trop riche en **aliments acidifiants** (sucres, céréales raffinées, farines blanches, viande rouge, laitages...) peut avoir des conséquences sérieuses. Alliée à d'autres facteurs comme l'hygiène de vie, l'hérédité et les émotions, elle tend à créer un climat d'inflammation chronique dans notre organisme : baisse de l'immunité, perte de minéraux, perte de densité osseuse, fatigue, arthrite, réactions cutanées (eczéma, psoriasis...)... L'inflammation constante étant nocive pour le corps, celui-ci se dégrade plus rapidement et les risques de pathologies graves (maladies cardiovasculaires, diabète de type 2, cancers) augmentent.

Les régimes alimentaires moins riches en produits animaux, plus naturels et moins industriels ont au contraire fait leurs preuves dans la diminution des risques de pathologies chroniques liées au mode de vie. Il n'est jamais trop tard pour effectuer quelques changements qui pourraient avoir d'heureuses retombées, à court comme à long terme !

Pour notre bien-être

La conjugaison d'une moindre exposition aux substances toxiques et d'une alimentation plus qualitative, plus riche en nutriments, offre de nombreux bénéfices en termes de bien-être.

Lorsque l'on se nourrit de façon équilibrée et variée, avec la juste dose de fibres et peu d'aliments acidifiants, le confort digestif est indéniablement amélioré. Le transit se régule, on a moins de ballonnements et de sensations de lourdeur.

L'augmentation des nutriments et la réduction des aliments raffinés permettent aussi de lutter contre le cercle vicieux de l'hypoglycémie, des fringales et de la fatigue chronique. On a davantage d'énergie, et celle-ci se diffuse de façon plus durable dans le sang !

Des solutions douces

Les petits maux physiques et émotionnels du quotidien sont plus facilement gérés lorsque l'on connaît des solutions douces pour y faire face (tisanes, huiles essentielles, respiration, massages...). Sans remplacer la médecine classique qui reste précieuse, les remèdes naturels peuvent la seconder et la compléter en agissant sur l'ensemble de l'organisme. Ils permettent ainsi de réduire la prise de médicaments, et donc les effets secondaires qu'ils engendrent (complications digestives et risques d'infection bactérienne pour les anti-inflammatoires, dépendance aux somnifères, résistance aux antibiotiques...). On se sent donc globalement mieux au quotidien.

Enfin, un mode de vie plus naturel, plus authentique, incite à mieux prendre soin de soi et de son environnement. On est plus à l'écoute, plus curieux aussi, et l'on apprend à privilégier ce qui nous fait du bien.

Pour l'environnement

Privilégier le fait maison à partir d'ingrédients bruts ou peu raffinés, c'est économiser l'énergie de nombreuses opérations industrielles et agricoles.

Imaginez la différence entre un trajet « de la terre à l'assiette », et tous les transports et machines nécessaires à l'élaboration de plats préparés ! Pour les cosmétiques, la différence est encore plus flagrante : le nombre d'opérations et de transports nécessaires n'a rien à voir entre une huile végétale pure, pressée, puis embouteillée, et une crème nourrissante à la liste d'ingrédients longue comme le bras !

Les fruits et légumes de saison consomment également moins d'énergie et ont besoin de moins de traitements chimiques, puisqu'ils sont adaptés au climat dans lequel ils poussent.

Le fait maison permet aussi d'économiser des emballages : les barquettes en matière plastique et étuis en carton jetables des biscuits industriels, par exemple, sont remplacés par n'importe quelle boîte hermétique réutilisable de votre cuisine pour vos biscuits *home made*. Certains magasins bio proposent en outre des ingrédients bruts en vrac (farines, légumineuses, céréales...) qui peuvent faire une vraie différence sur notre production de déchets – à condition de les transporter dans des sacs réutilisables, bien sûr !

L'alimentation végétarienne, voire végétalienne, constitue un immense pas pour la planète. Saviez-vous par exemple que l'élevage est l'une des activités qui émettent le plus de gaz à effet de serre au niveau mondial, davantage que le secteur des transports ? L'élevage intensif nécessite en outre des quantités d'eau très importantes – de façon directe ou indirecte –, si bien qu'un repas végétarien consomme en moyenne 70 % de moins d'eau qu'un repas classique.

Enfin, en privilégiant le fait maison et les solutions naturelles dans votre vie en général, vous évitez de participer à la diffusion de substances polluantes et nocives (perturbateurs endocriniens, dérivés pétrochimiques...) dans l'environnement.

Pour les animaux

En réduisant autant que possible sa consommation de produits animaux (viande, poisson, mais aussi produits laitiers et œufs), surtout lorsqu'ils sont issus de grands circuits industriels, on fait un geste en faveur d'un monde où tous les êtres vivants et sensibles de la planète sont traités avec respect.

Les scandales sanitaires et éthiques dans les abattoirs sont nombreux ces dernières années, et certaines pratiques déplorables de l'élevage intensif

ont été mises à jour par les associations et les médias : animaux en batterie qui ne voient jamais la lumière du jour, poussins mâles broyés vivants, longs transports de bétail sans eau ni nourriture...

Ces dérives soulignent la limite de la production en masse, et ne sont pas dignes d'une société qui se veut moderne. C'est par nos achats que nous pouvons le signifier et faire changer les choses !

Les animaux sont aussi les premières **victimes de notre impact écologique** : marées noires pour les oiseaux et les animaux marins, déchets plastiques pour les tortues, pollution des eaux pour les espèces aquatiques, déforestation liée à l'huile de palme pour les orangs-outans... Une consommation plus responsable et plus naturelle participe à la protection de toutes les espèces en préservant leurs milieux.

Pour devenir des consommateurs avertis

Quand on décide de vivre de façon plus verte et plus responsable, on est amené à s'interroger : n'y a-t-il pas de solutions plus saines, plus naturelles, plus écologiques ? On apprend à voir au-delà des promesses marketing : on lit les étiquettes, on se renseigne et, petit à petit, on devient capable de faire ses choix en toute connaissance de cause.

À l'heure où tous les domaines de la vie sont régis ou influencés par les lobbies et les médias, cette lucidité est précieuse ; elle nous offre un regard plus complet et plus de distance vis-à-vis des automatismes de la société (manger de la viande tous les jours, acheter de la farine de blé blanche, choisir n'importe quel gel douche qui sente bon, soigner tous les maux avec des médicaments...).

Elle nous permet aussi de nous intéresser à des alternatives qui, grâce à des personnes passionnées et engagées, diversifient le paysage économique et social. En soutenant les projets qui proposent un mode de vie différent, plus respectueux de l'Homme et de la nature, plus juste, on donne une visibilité précieuse aux idées qui pourraient rendre le monde meilleur.

Le matériel idéal

QUAND ON VEUT UNE ALIMENTATION PLUS VERTE ET PLUS DE FAIT MAISON, IL EST INDISPENSABLE DE SE MUNIR D'UN MINIMUM DE MATÉRIEL. NUL BESOIN D'INVESTIR DANS DU TRÈS HAUT DE GAMME SI VOUS DÉBUTEZ, NI DE DÉVALISER LE RAYON ÉLECTROMÉNAGER, MAIS QUELQUES BONS ACHATS CIBLÉS POURRAIENT VOUS SIMPLIFIER GRANDEMENT LA VIE. CROYEZ-MOI : LES MAUVAIS OUTILS SONT VITE DÉCOURAGEANTS, ET NE DONNENT GUÈRE ENVIE DE CUISINER !

Les indispensables

Balance et verre doseur

Adepte d'une cuisine intuitive et personnalisée, je pèse très rarement les ingrédients pour mes bols-repas de tous les jours. En revanche, il est important de suivre les proportions données lorsqu'il s'agit de préparations plus complexes, ou à base de pâte (gâteaux, cakes, biscuits…) sous peine de rater la recette. Une balance précise et un verre doseur sont donc essentiels !

Poêles et casseroles

Le Téflon étant très toxique à partir de 250 °C, mieux vaut choisir des poêles et casseroles en acier inoxydable (« inox ») ou avec un revêtement antiadhérent à base de céramique. La fonte est également idéale et très durable, mais très lourde, et plus délicate à utiliser.

Le nombre et la taille des pièces à acheter dépend du nombre de personnes du foyer et de la fréquence à laquelle la vaisselle est lavée. Pour un ménage de deux personnes, je possède 1 petite poêle, 1 poêle moyenne, 1 grande poêle, ainsi que 1 petite casserole, 1 casserole moyenne et 1 grande casserole. Les amateurs de plats asiatiques et de légumes sautés feraient également bon usage d'un wok.

Plats et moules

Pour la cuisson au four, il est intéressant de posséder quelques plats et moules. Préférez-les en verre ou en céramique pour avoir la certitude de leur innocuité (les moules en métal peuvent devenir toxiques). Si vous trouvez la silicone plus pratique, veillez à la choisir d'excellente qualité (platine) et garantie sans bisphénol A, en évitant à tout prix les versions bon marché qui n'ont pas été débarrassées de leurs substances nocives.

Couteaux

La cuisine végétarienne est moins gourmande en gros couteaux que la cuisine traditionnelle à base de viande.

Un petit stock de 2 ou 3 pièces de qualité à la lame bien tranchante vous fera néanmoins gagner un temps précieux en cuisine : il n'y a rien de plus frustrant que de perdre 5 minutes à découper une carotte avec un couteau de table émoussé !

Pour trancher facilement fruits et légumes de taille moyenne, je vous recommande de posséder au moins 2 couteaux de type universel, voire éventuellement un couteau naikiri. Il est utile aussi de se munir d'un grand couteau de chef pour découper les gros fruits. Pour un entretien plus facile, optez pour des lames en céramique.

Blender

Un bon blender ne vous servira pas uniquement à faire des smoothies : il est l'allié des soupes, veloutés, purées, compotes, laits végétaux, sauces, tartinades, et même des pâtes à crêpes ou à gâteaux ! Si votre budget vous le permet, optez pour un « superblender » au moteur ultra puissant. Sinon, choisissez n'importe quel modèle qui vous convienne, si possible capable de piler la glace (un bon indice de sa force), possédant un bol en verre ou garanti sans bisphénol A.

Cuiseur à riz

Les cuiseurs à riz sont une vraie bénédiction pour les personnes très occupées, tant ils facilitent la cuisson des céréales : celle-ci s'effectue plus rapidement et sans surveillance nécessaire. Il faut toutefois s'assurer que le bol interne soit dénué de bisphénol A... Par prudence et par économie d'espace, j'utilise un récipient *rice & grain cooker* pour micro-ondes, en plastique de haute qualité sans BPA et silicone platine. Mieux vaut lui préférer une vraie casserole quand c'est possible, mais quand je suis pressée, il sauve mes repas !

Boîtes de conservation en verre

Pour conserver les plats préparés à l'avance ou les restes, les boîtes de conservation en verre sont idéales. Bien qu'un peu lourdes et fragiles, elles sont dénuées de toxicité et existent en toutes sortes de tailles et de formes différentes. À défaut, choisissez des boîtes en plastique de qualité, garanties sans BPA.

Les optionnels bien pratiques

Étamine (ou mousseline)

Il est utile d'avoir toujours un ou deux tissus très fins à disposition dans la cuisine lorsque l'on prépare beaucoup de choses soi-même. Je les utilise particulièrement pour filtrer les laits végétaux (voir p. 176) ou les smoothies (pour retirer la pulpe dans les sorbets glacés par exemple, voir. p. 164), et pour faire du labneh maison (voir p. 65).

Yaourtière

Avec une yaourtière, faire ses propres yaourts est un jeu d'enfant : mélangez un yaourt à du lait, versez dans les pots, branchez la machine pour la nuit, et le lendemain matin le tour est joué ! La technique fonctionne aussi avec du lait de soja (voir p. 156).

Extracteur de jus ou centrifugeuse

Les centrifugeuses et les extracteurs à froid (plus lents, mais avec un résultat plus riche en nutriments) permettent d'obtenir des jus frais et originaux à volonté. Une excellente manière d'écouler ces carottes qui traînent dans le frigo, ou d'ajouter des vitamines à vos journées ! Sans être de grands indispensables de toute cuisine, ces appareils feront le bonheur des *juicers* confirmés.

Éplucheur à spirale – « Spiralizer »

Ce petit gadget permet de créer des « spaghettis » de légumes avec des carottes, des courgettes ou des concombres. C'est l'accessoire indispensable des pâtes de courgette ou de patate douce et un moyen ludique de décorer des salades.

Le placard idéal

VOICI UNE LISTE DES INGRÉDIENTS
QUE J'AIME AVOIR DANS MES PLACARDS
POUR CUISINER DE MANIÈRE RICHE
ET VARIÉE. SA LONGUEUR VOUS ÉTONNERA
PEUT-ÊTRE DE PRIME ABORD, MAIS IL EST
NORMAL D'AVOIR UN STOCK FOURNI
LORSQUE L'ON CUISINE À PARTIR
DE PRODUITS BRUTS ET TRÈS DIVERSIFIÉS.
À VOUS DE L'ADAPTER À VOS GOÛTS,
VOS ENVIES, VOS POSSIBILITÉS
ET VOS DÉCOUVERTES PROGRESSIVES !

Vous trouverez les ingrédients
« alternatifs » cités ici dans
les magasins bio ou auprès
de petits producteurs locaux.

Féculents

Pour des repas plus sains, riches en nutriments et rassasiants sur la durée, il est recommandé de privilégier les céréales complètes, sous des formes aussi peu raffinées que possible. Cette directive est toutefois à nuancer si vous souffrez de sensibilité intestinale : les aliments riches en fibres insolubles, assez irritants, peuvent générer de l'inconfort et des douleurs. Il est important aussi de varier ses apports en céréales, généralement monopolisés par le blé – un grain extrêmement transformé et souvent raffiné. Pour ma part, je conserve toujours dans mes placards un mélange de céréales complètes et d'options plus douces, qui sont aussi plus rapides à cuire dans la plupart des cas.

🌾 **Riz basmati et complet.** Les riz blancs, digérés très rapidement, ont tendance à faire grimper le taux de sucre du sang ; seuls le riz basmati et les riz complets ou sauvages ont un impact modéré sur la glycémie.

🌾 **Semoule d'épeautre complet.** On la trouve en magasin bio. Elle remplace parfaitement la semoule de blé pour les couscous et taboulés !

🌾 **Sarrasin.**

🌾 **Quinoa.** Le sarrasin et le quinoa sont consommés comme des céréales mais appartiennent en réalité à d'autres familles ; ils sont particulièrement nutritifs et riches en protéines.

🌾 **Flocons d'avoine et de sarrasin.**

🌾 **Nouilles de riz complet.**

🌾 **Vermicelles de riz.**

🌾 **Pâtes d'épeautre.**

🌾 **Pâtes sans gluten.** Certaines pâtes sans gluten du commerce, à base de maïs, ont une texture que je trouve peu agréable. Je vous conseille celles qui contiennent du riz, ou un mélange de céréales.

🌾 **Pommes de terre et patates douces.**

Légumineuses

Les légumes secs sont l'une des principales sources de protéines dans l'alimentation végétarienne, et aussi l'une des plus saines, grâce à leur richesse nutritionnelle (fibres, minéraux, glucides complexes, mais pas de lipides !). Certains étant un peu fastidieux à préparer, je les achète souvent en conserve, en bocal de verre. Leurs fibres et leur teneur en soufre peut les rendre difficiles à digérer pour les intestins sensibles : privilégiez dans ce cas les doubles cuissons (en changeant l'eau), voire consommez-les mixés si besoin (purée, soupe, houmous…). En conserve, bien rincés, ils sont généralement plus digestes.

🧄 **Conserves de pois chiches, haricots blancs, haricots azuki, lentilles…**

🧄 **Lentilles corail**. Mes lentilles préférées sont assez rapides à cuire, c'est pourquoi je les achète toujours sous forme sèche.

🧄 **Protéines de soja texturées**. Ces petits morceaux secs, vendus dans les magasins bio, sont à base de protéine de soja ; une fois réhydratés et assaisonnés, ils remplacent aisément la viande dans certaines recettes.

Farines et pâtisserie

Pour des pains et gâteaux faits maison aux apports nutritionnels variés, un petit stock de farines est nécessaire ! Dans nos contrées, la farine de blé monopolise les cuisines, jetant l'ombre sur d'autres variétés savoureuses, comme l'épeautre. C'est cette dernière que je privilégie généralement pour sa facilité d'utilisation : elle remplace la farine de blé dans n'importe quelle recette grâce à sa teneur similaire en gluten, mais s'avère plus digeste et moins transformée. J'utilise aussi ponctuellement des farines sans gluten pour mes cakes et pâtisseries, ainsi que pour mes crêpes de sarrasin.

🧄 **Farine blanche d'épeautre**.

🧄 **Farine complète d'épeautre**. Attention à ne pas confondre l'épeautre, ou grand épeautre, avec la farine de petit épeautre, dont la faible teneur en gluten donne un rendu très différent en pâtisserie.

🧄 **Farine de sarrasin**.

🧄 **Mix pour pâtisserie sans gluten, fait maison si possible (voir plus bas)**. Les farines sans gluten ne donnent pas de très bons résultats lorsqu'elles sont utilisées seules. Il est recommandé de faire des mélanges de plusieurs céréales et de fécule pour apporter du moelleux à la pâte. On trouve des mélanges tout faits en grandes surfaces, mais mieux vaut ne pas en abuser, car ils sont souvent peu nutritifs.

MÉLANGE SANS GLUTEN MAISON
Pour 1 kg de farine
★ 350 g de farine de riz complet ou semi-complet
★ 350 g de farine de maïs
★ 300 g de fécule de maïs

🧄 **Fécule de maïs (Maïzena)**. Cet ingrédient multi-usages permet d'apporter du moelleux et de la légèreté à certaines préparations pâtissières, voire d'y remplacer les œufs !

🍫 Cacao pur en poudre.

🍫 **Levure bio.** Veillez à choisir une levure sans phosphates, ceux-ci étant nocifs pour l'organisme. Malheureusement, à l'heure actuelle, seules les poudres à lever des magasins bio en sont dépourvues.

🍫 Bicarbonate de soude.

Produits sucrants

Le sucre blanc est tellement raffiné qu'il ne contient presque plus que de la saccharose – des calories vides sans aucun intérêt nutritionnel, mais particulièrement addictives. Son excessive pureté lui octroie également une capacité à se libérer directement dans l'organisme, générant des pics néfastes du taux de glucose dans le sang, ainsi qu'une prolifération bactérienne dans la bouche et les intestins. Heureusement, les alternatives sont nombreuses et promettent de belles découvertes gustatives ! Voici celles que j'utilise le plus.

🍫 **Sucre de fleur de coco.** Adapté aux diabétiques, le sucre de coco offre un indice glycémique bas et une grande richesse en oligoéléments, surtout s'il est cru. C'est mon produit sucrant de prédilection pour son petit goût caramélisé et sa facilité d'utilisation.

🍫 **Sucre de canne complet non raffiné, rapadura, muscovado...** S'il conserve un impact important sur la glycémie, ce sucre très peu transformé est toutefois bien plus nutritif que le sucre blanc grâce à sa richesse en minéraux, vitamines, acides aminés...

🍫 **Sirop d'agave foncé ou cru.** Même s'ils ont bonne réputation, les sirops d'agave ne se valent pas tous. Ceux de couleur claire sont malheureusement filtrés et raffinés, ce qui leur fait perdre tous leurs atouts nutritionnels. Préférez les sirops foncés, beaucoup plus riches en minéraux, ou idéalement les sirops crus, dont la majorité des enzymes sont préservés.

🍫 **Sirop d'érable.** Le pur sirop d'érable reste très riche en sucre, et doit se consommer avec grande modération. Néanmoins, il est aussi très riche en minéraux et en antioxydants, ce qui le rend moins mauvais que le sucre blanc !

🍫 **Miel cru.** Lorsqu'il est cru et de qualité, le miel regorge d'oligoéléments et d'acides aminés. Évitez les miels industriels, qui sont pasteurisés, donc vidés de leurs bienfaits. Notez que l'indice glycémique varie selon les types de miel : c'est le miel d'acacia qui a l'IG le plus faible.

🍫 **Xylitol.** Cet édulcorant naturel issu de l'écorce du bouleau est idéal pour sucrer gâteaux et desserts : indice glycémique extrêmement faible, peu calorique, goût assez neutre, et action anticaries dans la bouche. Il est d'ailleurs utilisé comme sucrant dans la plupart des chewing-gums. Attention toutefois à le consommer avec modération si vous avez l'intestin fragile.

Fruits secs

Parce que ce sont d'excellentes sources d'énergie, de minéraux, de fibres, d'antioxydants, d'acides gras essentiels et même de protéines, les noix et les graines font pleinement partie d'une alimentation équilibrée. Elles sont parfaites comme encas de milieu de matinée, saupoudrées dans différents plats ou mixées avec de l'eau pour faire du lait végétal. J'ajoute à ma liste d'indispensables les dattes, pour leur chair délicieuse, leur capacité sucrante et leur rôle agglutinant dans les préparations crues.

- Amandes, noix, noix de cajou, noisettes...
- Noix de coco râpée.
- Dattes medjool.
- Graines de sésame.
- Graines de lin.
- Graines de chia. Les graines de lin et de chia moulues mélangées à de l'eau forment une matière gélifiée, excellente pour le transit intestinal. On peut les ajouter à différents desserts et smoothies pour augmenter leur richesse en fibre ou modifier leur texture, ou encore utiliser ce gel pour remplacer les œufs dans différents gâteaux (« flax egg » ou « chia egg »).
- Purée de noisette ou d'amande. Indispensables pour des pâtes à tartiner maison !
- Tahini. Cette pâte de graines de sésame est l'un des ingrédients principaux du houmous.

Laits végétaux

Si je réalise mes laits végétaux moi-même lorsque je le peux (voir p. 176), je trouve néanmoins ceux du commerce très pratiques lorsque mes journées sont particulièrement chargées. Je les choisis nature, sans sucre ajouté, pour les utiliser en cuisine plutôt que comme boisson – ils remplacent le lait de vache dans toutes mes recettes.

- Lait d'amande sans sucre ajouté.
- Lait de soja sans sucre ajouté.
- Lait de coco à cuisiner. L'un de mes indispensables, avec la pâte de curry, pour un repas d'inspiration indienne ou thaïlandaise facile et délicieux !

Huiles, vinaigres et condiments

Pas de bons petits plats sans condiments de qualité ! En plus d'apporter leurs saveurs, les huiles, vinaigres et épices contribuent à une santé optimale : oméga-3, ferments, minéraux, antioxydants... Choisissez-les aussi peu raffinés que possible (extra vierge, pressé à froid, non pasteurisé...) pour vous assurer un maximum de nutriments.

🍴 **Huile d'olive extra-vierge pressée à froid.** Ma préférée pour les cuissons à la poêle, les gâteaux salés et les salades.

🍴 **Huile vierge de tournesol.** Une huile neutre très pratique pour les pâtisseries ! Attention toutefois à ne pas en abuser, car elle contient beaucoup d'oméga-6 (que nous consommons déjà excessivement) et très peu d'oméga-3.

🍴 **Huile vierge de colza.** Une excellente source d'oméga-3, qu'il faudrait consommer régulièrement. Je ne suis pas complètement convaincue par sa saveur, mais elle fonctionne bien en duo avec d'autres huiles pour un assaisonnement de salade.

🍴 **Huile vierge de sésame.** Indispensable pour relever les plats asiatiques !

🍴 **Huile de coco extra-vierge pressée à froid.** Véritable délice dans les pâtisseries et les plats au curry, cette huile est riche en acide laurique, qui augmente le bon cholestérol HDL. On la trouve également sous forme désodorisée, donc légèrement plus raffinée, mais plus neutre, pour les préparations salées.

🍴 **Vinaigre balsamique**

🍴 **Crème de balsamique.** Ce vinaigre balsamique concentré, plus épais et sucré, fait des merveilles pour accompagner n'importe quelle salade, ou en touche sur des toasts d'avocat, des œufs...

🍴 **Vinaigre de cidre non pasteurisé.** Excellent pour la flore intestinale grâce à ses bonnes bactéries, immunostimulant et fortement reminéralisant, ce vinaigre est un véritable remède de grand-mère en plus d'un condiment !

🍴 **Poudre de bouillon de légumes.**

🍴 **Fleur de sel, sel rose de l'Himalaya, sel marin...** Je privilégie les sels non raffinés, beaucoup plus riches en minéraux. Leur couleur grisâtre ou rose est un bon indice de la présence d'oligoéléments.

🍴 **Baies de poivre.** Les baies écrasées minute dans un petit moulin à poivre possèdent des arômes infiniment plus complexes et raffinés que le poivre basique. Pensez-y pour sublimer vos plats !

🍴 **Épices (curry, cumin, ras-el-hanout, cannelle, herbes de Provence, curcuma...).**

🍴 **Pâte de curry indien (type korma, tikka massala...).**

🍴 **Pâte de curry thaï (type curry rouge).**

🍴 **Sauce sriracha.**

🍴 **Sauce sweet chili.**

🍴 **Sauce tamari ou sauce soja.** La sauce tamari est une sauce soja exempte de blé et donc de gluten ; elle possède une saveur assez forte que tous n'apprécient pas.

🍴 **Pâte de miso blanc.** Le miso blanc apporte un petit goût doux-salé dans différentes préparations, et sert bien sûr à faire de la soupe miso maison. Il est aussi un probiotique naturel, excellent pour la flore intestinale.

Féculents

Riz basmati et complet.

Semoule d'épeautre complet.

Sarrasin.

Quinoa.

Flocons d'avoine et de sarrasin.

Nouilles de riz complet.

Vermicelles de riz.

Pâtes d'épeautre.

Pâtes sans gluten.

Pommes de terre et patates douces.

Légumineuses

Conserves de pois chiches, haricots blancs, haricots azuki, lentilles...

Lentilles corail.

Protéines de soja texturées.

Farines

Farine blanche d'épeautre.

Farine complète d'épeautre.

Farine de sarrasin.

Mix pour pâtisserie sans gluten, fait maison si possible.

Fécule de maïs (Maïzena).

Cacao pur en poudre.

Levure bio.

Bicarbonate de soude.

Laits végétaux

Lait d'amande sans sucre ajouté.

Lait de soja sans sucre ajouté.

Lait de coco à cuisiner.

Huiles, vinaigre, condiments

Huile d'olive extra-vierge pressée à froid.

Huile vierge de tournesol.

Huile vierge de colza.

Huile vierge de sésame.

Huile de coco extra-vierge pressée à froid.

Vinaigre balsamique

Crème de balsamique.

Vinaigre de cidre non pasteurisé.

Poudre de bouillon de légumes.

Fleur de sel, sel rose de l'Himalaya, sel marin...

Baies de poivre.

Épices (curry, cumin, ras-el-hanout, cannelle, herbes de Provence, curcuma...).

Pâte de curry indien (type korma, tikka massala...).

Pâte de curry thaï (type curry rouge).

Sauce sriracha.

Sauce sweet chili.

Sauce tamari ou sauce soja.

Pâte de miso blanc.

Produits sucrants

Sucre de fleur de coco.

Sucre de canne complet non raffiné, rapadura, muscovado...

Sirop d'agave foncé ou cru.

Sirop d'érable.

Miel cru.

Xylitol.

Le réfrigérateur idéal

LES PRODUITS FRAIS CONSTITUENT UNE PARTIE ESSENTIELLE DE NOTRE ALIMENTATION, NOTAMMENT PARCE QU'ILS NOUS PROCURENT BON NOMBRE DE VITAMINES ET MINÉRAUX. LES PREMIERS EXPLORATEURS, SOUFFRANT DE SCORBUT PAR MANQUE DE FRUITS ET LÉGUMES SUR LES EMBARCATIONS, POURRAIENT EN TÉMOIGNER ! AUTANT QUE POSSIBLE, ACHETEZ-LES AU FIL DE VOTRE CONSOMMATION PLUTÔT QUE TROP À L'AVANCE, POUR UNE FRAÎCHEUR OPTIMALE.

Fruits et légumes

Les légumes doivent constituer, en proportion, la majeure partie de notre alimentation (50 % d'un repas, contre 25 % de féculents et 25 % de protéines). Plus vous les variez, mieux c'est ! Les fruits sont également importants pour leurs minéraux, leurs vitamines, leurs antioxydants, leurs fibres et leurs bons sucres naturels. Mieux vaut les consommer rapidement une fois achetés, puisque leurs oligoéléments se détériorent très vite : en 48 heures, certains produits peuvent voir s'envoler 50 % de leur vitamine C ! Les variétés les plus polluées devraient être achetées en bio, autant que possible (voir p. 28).

- Fruits de saison.

- Légumes de saison.

- Citrons et citrons verts bio. Parce que j'aime utiliser leurs zestes pour parfumer mes salades ou mes gâteaux, et utiliser des morceaux entiers dans mes boissons maison, j'achète presque systématiquement des citrons bio. Mieux vaut les conserver au réfrigérateur pour qu'ils se dégradent moins vite.

- Pousses vertes (laitue, mesclun, roquette, sucrine, mâche...). Plus les pousses sont foncées et colorées, plus elles sont riches en nutriments. J'en ai toujours au frais : c'est une manière rapide et simple d'ajouter un peu de vert à son assiette quand on n'a pas le temps de cuire des légumes !

Produits laitiers

Les produits laitiers d'origine animale sont une source de protéines bien assimilées par l'organisme. Ils peuvent néanmoins se révéler peu digestes en raison de la présence de lactose, qui provoque douleurs et ballonnements chez ceux qui y sont sensibles, et sont inflammatoires pour l'organisme à haute dose. À chacun donc de réguler sa consommation selon sa situation ! Notez qu'il est important de se fournir chez des fromagers de confiance ou auprès de petits producteurs plutôt qu'auprès de géants industriels, dont les pratiques en termes d'éthique animale sont sujettes à caution. Par engagement, par goût ou pour des raisons de sensibilité digestive, on peut également se tourner vers les produits à base de soja, qui constituent de très bons substituts.

CONSERVATION DES FRUITS

Certains fruits (fruits d'été, poire, banane, prune...) préfèrent une température ambiante ; pensez toutefois à les stocker au frais quand ils sont mûrs pour retarder leur dégradation. Les œufs, quant à eux, peuvent être conservés indifféremment au frais ou non, selon vos habitudes.

🍴 **Yaourt de soja nature.** Si on n'en apprécie pas forcément le goût, il est très utile en remplacement du yaourt classique dans toutes les recettes. Je l'achète toujours sans sucre ou je le fais moi-même (voir p. 156).

🍴 **Yaourt de brebis nature.** Le lait de brebis est souvent bien mieux toléré que le lait de vache, il a un goût neutre et contient davantage de protéines. Il est aussi plus gras, c'est pourquoi je le consomme plus ponctuellement.

🍴 **Fromages, de préférence sans lait de vache (halloumi, feta, crottin de chèvre, mozzarella de bufflonne...).** Les fromages au lait de brebis, de chèvre ou de bufflonne sont souvent plus digestes que les fromages au lait de vache ; je les privilégie donc la plupart du temps. Ceux qui sont très affinés sont également moins riches en lactose que les fromages frais. Pour une question d'éthique et de santé, mieux vaut se fournir auprès de petits producteurs ou de fromagers de confiance.

Œufs

Les œufs sont des aliments nutritifs, riches en protéines de très haute valeur biologique – c'est-à-dire que celles-ci sont particulièrement bien assimilées par l'organisme – et je les digère parfaitement. Ils sont aussi l'une des meilleures sources de vitamine B12 pour les végétariens.

J'en consomme régulièrement (environ une fois par semaine, ainsi que dans certaines préparations culinaires), mais en les choisissant avec soin (petits producteurs, bio...) et sans excès, pour des raisons éthiques.

Dérivés de soja

Le soja est une source de protéine végétale considérée, à elle seule, de haute valeur biologique (bien assimilée par l'organisme) grâce à sa teneur très satisfaisante en acides aminés essentiels ; elle est donc un excellent substitut à la viande.

Le saviez-vous ?
Fromage et végétarisme

Les fromages ne sont pas toujours végétariens au sens strict du terme : la présure utilisée pour cailler le lait est souvent extraite de l'estomac d'un jeune veau mort. Si cette substance coagulante ne correspond finalement qu'à une minuscule trace dans le produit final, sa présence a de quoi déranger. Heureusement, des alternatives existent, et certains fromages sont caillés grâce à des enzymes microbiennes. Si vous souhaitez effectuer vos achats en conséquence, lisez bien les étiquettes. Le terme « présure » correspond systématiquement à une origine animale, tandis que les termes « coagulant », « enzyme fongique » ou « enzyme microbienne » indiquent une origine non animale. Certains emballages précisent également « adapté aux végétariens ». L'Association végétarienne de France propose également une liste indicative d'informations sur différentes marques de fromages sur leur site internet.

Malgré les rumeurs concernant l'impact de cette légumineuse sur l'équilibre hormonal, toutes les études scientifiques menées à ce jour sur la question rapportent une absence totale d'effets néfastes, autant chez la femme que chez l'enfant, dans le cadre d'une consommation quotidienne normale chez un sujet sain. Au contraire, le soja pourrait avoir des effets bénéfiques dans la réduction du risque du cancer du sein et des maladies cardiovasculaires. Attention toutefois à le consommer bien cuit ou fermenté si vous avez la digestion sensible.

🍴 **Tofu ferme nature.** Un aliment de base, très polyvalent et peu cher, mais fade. On peut le faire mariner et le déguster cru dans une salade, ou le cuire à toutes les sauces (grillé, au four, à la poêle, frit, pané...).

🍴 **Tofu ferme fumé.** Je préfère souvent les versions fumées, pour leur petit goût de feu de bois qui se marie à merveille notamment avec les saveurs d'automne-hiver.

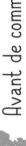

🍳 **Tempeh fumé.** Contrairement au tofu, je digère très bien le tempeh, c'est donc mon dérivé de soja préféré. Je l'achète aussi en version fumée parce qu'il a plus de goût ! Ma recette préférée consiste à en caraméliser quelques tranches à la poêle avec un peu d'huile, de la sauce soja et une touche de sirop d'agave ou de miel.

Eau de coco

L'eau de coco est le jus des noix de coco jeunes – à ne pas confondre avec le lait de coco, préparé à base de chair de coco mixée.

Très intéressante pour sa richesse en minéraux, notamment en potassium, l'eau de coco n'apporte pratiquement aucune graisse et très peu de sucre . C'est aussi une base indispensable pour des smoothies : elle ajoute une saveur subtile, rendant les mélanges plus goûteux qu'avec de l'eau minérale.

Préparations maison et aliments cuits

Pour gagner du temps lorsque je suis débordée, je conserve généralement des céréales et légumes déjà cuits dans mon réfrigérateur, ainsi que des restes de repas à réchauffer. Pour en savoir plus, rendez-vous p. 32.

Œufs

Dérivés de soja
Tofu ferme nature.
Tofu ferme fumé.
Tempeh fumé.

Eau de coco

Produits laitiers
Yaourts de soja nature.
Yaourts de brebis nature.
Fromages, de préférence sans lait de vache (halloumi, feta, crottin de chèvre, mozzarella de bufflonne...).

Préparations maison et aliments cuits

Fruits et légumes
Fruits de saison.
Légumes de saison.
Citrons et citrons verts bio.
Pousses vertes (laitue, mesclun, roquette, sucrine, mâche...).

Le congélateur idéal

LES ALIMENTS SURGELÉS ET LES PRÉPARATIONS MAISON STOCKÉES
AU CONGÉLATEUR ME SAUVENT LA MISE QUAND JE MANQUE DE TEMPS !

Fruits et légumes

Difficile d'avoir toujours une dose suffisante de légumes frais quand on a une semaine chargée. Il m'est arrivé si souvent de me retrouver démunie que je veille toujours à conserver des légumes surgelés au congélateur ! C'est aussi l'occasion de consommer des produits hors saison. Les fruits surgelés sont très utiles pour les smoothies, ou pour faire des compotes et confitures quand on n'a rien de frais sous la main. Notez en outre que la congélation, généralement effectuée juste après la cueillette, préserve la quasi-totalité des vitamines.

🍫 **Fruits rouges.** Les fruits rouges surgelés sont moins chers que les frais.

🍫 **Banane en morceaux.** Je congèle moi-même des tranches de banane. En été, il suffit de les mixer dans un smoothie pour un rendu bien crémeux, ou avec un peu de lait végétal et de fruits frais pour obtenir une délicieuse glace minute !

🍫 **Mangue en morceaux.**

🍫 **Légumes hors saison.**

🍫 **Petits pois.**

🍫 **Épinards.**

🍫 **Aromates.** Certains aromates peuvent s'acheter surgelés, mais il est également possible de les congeler soi-même. C'est particulièrement pratique pour conserver le basilic et la menthe, qui perdent beaucoup de leur saveur en version sèche ! Je garde aussi des bâtons de citronnelle, que je râpe pour mes préparations d'inspiration asiatique.

🍫 **Soupes maison.** Les soupes se prêtent très bien à la congélation : il suffit de les passer au micro-ondes ou à la casserole pour retrouver leur texture.

Boulangerie-pâtisserie

🍫 **Pains.** Mes boulangeries préférées ne sont pas à côté de chez moi. Quand je n'ai ni le temps ni les ingrédients pour faire mon propre pain d'épeautre, j'en achète plusieurs unités, coupées en tranches, et je les congèle pour les utiliser au fil des prochains jours. Pour décongeler un pain, je préchauffe le four à 200 °C, puis je l'éteins, et j'y dépose le bloc pour qu'il retrouve doucement sa texture et son croustillant.

🍫 **Gâteaux, quiches, cakes maison.** Les gâteaux et quiches se conservent très bien au congélateur. Je les y range par tranches ou groupes de tranches afin de pouvoir les décongeler plus facilement pour un repas express. Pour cela, il suffit de les passer au four une dizaine de minutes à 180 °C, ou jusqu'à ce que tout soit correctement réchauffé.

Avant de commencer

25

Acheter plus « green »

UNE ALIMENTATION PLUS NATURELLE PASSE AVANT TOUT PAR LES CHOIX QUE NOUS EFFECTUONS EN ACHETANT NOS INGRÉDIENTS, QU'IL S'AGISSE DE LEUR MODE DE PRODUCTION OU DE LEUR CONDITIONNEMENT. SI LA PERFECTION EST DIFFICILE À ATTEINDRE, IL EST TOUTEFOIS IMPORTANT D'ÊTRE INFORMÉS SUR LES IMPACTS POSSIBLES DE NOTRE CONSOMMATION AFIN D'AGIR ENSUITE EN TOUTE CONNAISSANCE DE CAUSE. NOUS N'AVONS PAS TOUJOURS LA POSSIBILITÉ DE TOUT BIEN FAIRE, MAIS CHAQUE PETIT EFFORT EST BON À PRENDRE !

Les produits de saison

En choisissant des produits de saison, vous faites un geste pour la planète, mais aussi pour votre santé et vos papilles !

Cultivés en dehors de la saison qui leur correspond, les fruits et légumes sont généralement forcés sous serre avec de nombreux additifs pour compenser le manque de soleil, de chaleur et de richesse du sol. Ce système entraîne des dépenses importantes en énergie, pour un goût généralement médiocre. Au contraire, les produits de saison sont arrivés à maturité plus naturellement, et offrent donc une saveur supérieure, ainsi qu'un profil nutritionnel plus riche.

Notez en outre que la nature est bien faite, offrant à notre organisme ce dont il a besoin à chaque période : des aliments plus riches et nutritifs en hiver, lorsqu'il faut lutter contre le froid et le manque de soleil, et des aliments gorgés d'eau pour l'été.

Enfin, suivre le calendrier des fruits et légumes est une excellente manière de varier un maximum son alimentation, en apprenant à découvrir de nouvelles saveurs et de nouvelles déclinaisons culinaires ! Ces produits sont généralement moins chers, alors pourquoi s'en priver ?

Printemps

★ Asperge
★ Avocat
★ Betterave
★ Blette
★ Brocoli
★ Carotte
★ Champignons de Paris
★ Chou vert et rouge
★ Chou-fleur
★ Concombre
★ Épinard
★ Fenouil
★ Fève
★ Navet
★ Patate douce
★ Petit pois
★ Poireau
★ Radis
★ Salades

Été

★ Artichaut
★ Aubergine
★ Avocat
★ Betterave
★ Blette
★ Brocoli
★ Carotte
★ Céleri branche
★ Champignons de Paris
★ Chou-fleur
★ Concombre
★ Courgette
★ Fenouil
★ Haricot vert
★ Patate douce
★ Petit pois
★ Poireau
★ Pois mangetout
★ Poivron
★ Pomme de terre
★ Radis
★ Salades
★ Tomate

Automne

★ Avocat
★ Betterave
★ Blette
★ Brocoli
★ Carotte
★ Céleri branche
★ Céleri-rave
★ Champignons de Paris
★ Chou vert et rouge
★ Chou-fleur
★ Courgette
★ Endive
★ Épinard
★ Fenouil
★ Haricot vert
★ Navet
★ Patate douce
★ Poireau
★ Poivron
★ Pomme de terre
★ Potiron, potimarron
★ Radis
★ Salades
★ Tomate

Hiver

★ Avocat
★ Betterave
★ Blette
★ Brocoli
★ Carotte
★ Céleri-rave
★ Champignons de Paris
★ Endive
★ Navet
★ Patate douce
★ Poireau
★ Pomme de terre
★ Potiron, potimarron
★ Radis
★ Salades

L'agriculture biologique

Acheter des produits bio, c'est répondre à une volonté de minimiser son exposition et celle de sa famille aux engrais chimiques, pesticides et autres produits nocifs largement utilisés dans l'agriculture conventionnelle. Mais on peut aussi vouloir soutenir ce mode de production, plus globalement, par conscience écologique : bien moins polluant pour les eaux et les sols, il permet de préserver la biodiversité et les ressources de notre planète.

Malheureusement, à moins d'avoir soi-même une exploitation très diversifiée, ou un contact direct avec des petits producteurs aux prix abordables, il est difficile de remplir sa cuisine de produits 100 % bio pour d'évidentes questions de budget et de praticité.

Faites au mieux, selon vos possibilités, et instaurez un ordre de priorités : certains produits de l'agriculture conventionnelle sont plus problématiques que d'autres, et méritent un petit effort financier supplémentaire.

Les ingrédients à choisir bio

À titre indicatif, voici quelques produits qu'il me semble intéressant d'acheter en bio, autant que possible :

🍴 **Certains fruits et légumes particulièrement traités.** Plusieurs études d'organismes indépendants, comme celle de l'*Environmental Working Group*, dressent chaque année des listes des fruits et légumes contenant le plus grand nombre de traces de pesticides. Certains en contiennent jusqu'à 15 différents ; les traces sont généralement minimes, mais leur ingestion régulière peut être néfaste à long terme – la majorité de ces produits sont par exemple des perturbateurs endocriniens reconnus.

Parmi les fruits et légumes les plus contaminés figurent selon les années :
* ★ les pommes
* ★ les poires
* ★ les fruits rouges
* ★ les pêches et nectarines
* ★ les épinards
* ★ les tomates
* ★ les concombres
* ★ les poivrons
* ★ le céleri
* ★ certains choux
* ★ le raisin
* ★ les carottes

Si comme moi vous ne pouvez pas vous permettre de toujours acheter tous ces produits en bio, faites-le pour ceux que vous consommez le plus parmi cette liste rouge. Faites de même, bien sûr, pour les fruits et légumes dont vous utiliserez la peau dans une recette, par exemple les citrons dont vous prélèverez le zeste. Plus généralement, pour minimiser les contacts avec des pesticides nocifs, choisissez bien vos fournisseurs : préférez, autant que possible, le contact direct avec les producteurs (marché, AMA…) aux étalages de super-marché, provenant souvent de cultures intensives.

🖤 **Les œufs**. Si le label bio ne garantit malheureusement pas des conditions idéales, il reste toutefois la meilleure option d'achat pour des œufs de qualité supérieure et un certain respect du bien-être des poules. Leur nourriture doit être issue à 95 % au minimum de l'agriculture biologique ; en conséquence, leurs œufs sont bien plus riches en nutriments, notamment en oméga-3. Elles sont en outre élevées sans antibiotiques, bien qu'elles puissent recevoir des traitements antiparasitaires, et ont accès pendant la journée à 4 m² de terrain herbeux par animal, contre 23 cm² de cage sans jamais voir la lumière du jour pour les poules de batterie.

Si vous devez faire une exception, choisissez des œufs de poules élevées en plein air, qui ont également accès à un terrain de 4 m² dans la journée, bien que celui-ci puisse être nu. Notez toutefois que ces poules sont parquées en cages pendant la nuit dans les mêmes conditions que les élevages de batterie, traitées aux antibiotiques, et que leur nourriture n'est pas bio. Le Label Rouge garantit au moins une alimentation 100 % végétale. L'idéal est, une fois encore, de privilégier les contacts directs avec des petits exploitants qui pourront vous présenter leur mode de production : un élevage artisanal de poules en liberté à l'alimentation de qualité peut s'avérer presque aussi intéressant qu'un élevage bio.

🖤 **Les produits laitiers**. Les différences nutritionnelles entre un lait bio et un lait classique sont a priori minimes. Néanmoins, les produits laitiers conventionnels comportent un problème de taille : l'alimentation donnée au bétail, l'utilisation généralisée d'antibiotiques et les traitements hormonaux liés aux inséminations à répétition entraînent une transmission de résidus dans l'environnement, potentiellement susceptibles de contaminer de façon indirecte les populations. Des traces infimes de pesticides sont même directement introduites dans notre organisme par la

DÉCHIFFRER LES CODES SUR LES COQUILLES DES ŒUFS

3 : Élevage en batterie, à l'intérieur
2 : Élevage au sol ou en volière, à l'intérieur
1 : Élevage en plein air
0 : Élevage en plein air bio

consommation de produits végétaux, mais aussi animaux, comme le lait. Les quantités de ces toxines sont minimes, mais une exposition continue au fil des ans pourrait intoxiquer nos propres systèmes nerveux (l'exposition aux pesticides a été clairement liée à la maladie de Parkinson), immunitaire (allergies) et hormonal (perturbateurs endocriniens). Choisir du lait bio permet de réduire efficacement notre exposition à ces toxines. Les élevages bio offrent en outre des conditions de vie un peu meilleures aux animaux, qui sont mieux nourris (60 % de fourrage au minimum) et doivent notamment se rendre en pâturage tous les jours en période de pousse de l'herbe.

Les ingrédients à éviter

Le sucre et le sirop de glucose ou de fructose. Ces sucres industriels ultra raffinés n'ont aucun intérêt nutritionnel. Leur consommation en excès augmente le risque d'obésité, de diabète de type 2, de cancers, de caries, et de troubles digestifs.

Les colorants artificiels. De nombreux colorants artificiels sont suspectés d'être cancérogènes, génotoxiques (modification de l'ADN), et/ou de provoquer des troubles du système nerveux, particulièrement chez les enfants.

Les édulcorants artificiels. Bien qu'ils remplacent le sucre, les édulcorants chimiques peuvent créer une dépendance au goût sucré, encourageant un comportement alimentaire nocif. Ils sont aussi suspectés de provoquer des migraines.

Les huiles (partiellement) hydrogénées. Ces « mauvaises graisses » très souvent présentes dans les pâtisseries industrielles augmentent les risques de maladies cardiovasculaires.

Le glutamate de sodium ou MSG (E621). Utilisée comme exhausteur de goût, cette molécule est malheureusement présente dans un très grand nombre d'aliments industriels, sous différents noms : arôme, assaisonnement... Agissant sur le cerveau comme une drogue, elle inhibe les mécanismes normaux de l'appétit.

Les nitrites (E249, E250, E251, E252). Ces additifs principalement utilisés dans les charcuteries industrielles ont été liés à des risques d'hyperactivité et de troubles du sommeil. Ils pourraient également favoriser l'apparition de cancers colorectaux.

L'acide benzoïque (E210) et le benzoate de sodium (E211). Ces conservateurs favorisent l'hyperactivité infantile. Ils pourraient également favoriser les cancers en produisant du benzène au contact des vitamines C ou E.

Les sulfites (E220 à E228, E539). Très allergisants, ces conservateurs présents dans les vins, les bières et les boissons fruitées peuvent provoquer des réactions chez les personnes sensibles, notamment les asthmatiques.

Les emballages

Si nous continuons à en produire autant chaque année, il y aura d'ici 2050 plus de déchets plastiques que de poissons dans l'océan. Et ne parlons même pas de tous ceux qui sont enfouis sous terre, ou lâchés dans la nature, mettant parfois jusqu'à 1 000 ans pour se dégrader ! En termes d'écologie, la nécessité de minimiser nos achats contenant du plastique est donc évidente.

Mais elle l'est aussi pour la santé : en effet, on sait désormais que les récipients en plastique placés en contact direct avec nos aliments peuvent potentiellement relarguer certains de leurs composants dans la nourriture qu'ils contiennent. Cette migration est accentuée lorsque le plastique est chauffé (au micro-ondes, par exemple) ou lorsqu'il est en contact avec des corps gras ou acides. L'exposition quotidienne à ces composants (bisphénol A, phtalates...) devient toxique à partir de certaines doses. Elle engendre d'importantes perturbations sur le système hormonal et le système nerveux, voire des risques de cancer, avec un danger tout particulier pour les bébés et les femmes enceintes.

Il est malheureusement très difficile d'éviter complètement ce matériau au quotidien, à moins d'effectuer des changements drastiques dans son mode de vie, et d'avoir accès à une épicerie en vrac. Néanmoins, chaque petit geste compte pour la planète et pour notre santé !

Au supermarché et pour vos achats en général, lorsque c'est possible, préférez toujours les récipients en carton ou en verre, et les sachets en papier pour les fruits et légumes. Gare aussi aux conserves et canettes en aluminium, dont le revêtement intérieur en résine relargue également du bisphénol A. Faites attention enfin à la présence de plastique dans vos ustensiles de cuisine (spatules, casseroles...) et votre petit électroménager en contact direct avec les aliments (bouilloire, cafetière, mixeur...). Essayez de réserver le plastique pour ceux que vous n'utilisez que ponctuellement, et de choisir a minima des produits garantis sans BPA, aux codes d'identification suivants, moins susceptibles de contaminer leur contenu :

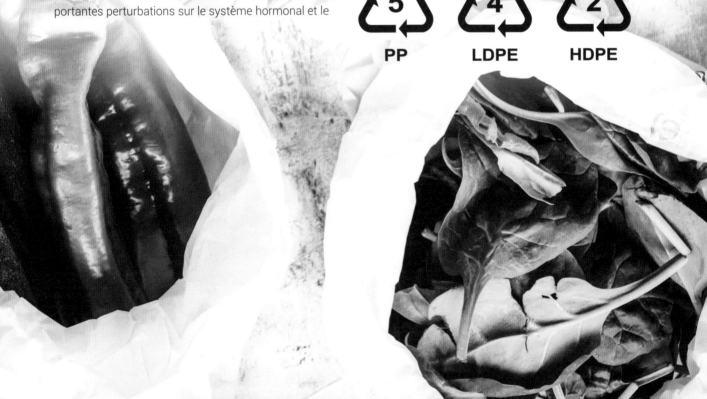

Astuces pour gagner du temps

« MAIS COMMENT TROUVES-TU LE TEMPS DE CUISINER TOUS LES JOURS ? » C'EST L'UNE DES QUESTIONS QUE L'ON M'A LE PLUS POSÉES CES DERNIÈRES ANNÉES, SURTOUT LORSQUE JE MENAIS DE FRONT DES ÉTUDES ET UNE MISE À JOUR QUOTIDIENNE DE MON BLOG. LA RÉPONSE TIENT EN DEUX VOLETS.

D'ABORD, JE CROIS QU'IL EST IMPORTANT DE FAIRE LE CHOIX CONSCIENT ET ASSUMÉ DE LAISSER DANS NOS VIES UNE PLACE POUR LA CUISINE. PARFOIS, PRÉPARER UN REPAS ÉQUILIBRÉ DEMANDE DE PASSER UN QUART D'HEURE DE MOINS DEVANT UNE SÉRIE, OU DE FAIRE UNE PAUSE AU MILIEU D'UNE TÂCHE IMPORTANTE ; MAIS C'EST UN EFFORT QUI EST ESSENTIEL À NOTRE BIEN-ÊTRE.

BIEN SÛR, LA BONNE VOLONTÉ NE SUFFIT PAS TOUJOURS, SURTOUT QUAND ON EST PARTICULIÈREMENT OCCUPÉ. C'EST POURQUOI IL EST AUSSI UTILE DE CONNAÎTRE QUELQUES ASTUCES POUR AVOIR SOUS LA MAIN DE QUOI SE NOURRIR CORRECTEMENT CHAQUE JOUR. EN ADOPTANT QUELQUES BONNES HABITUDES D'ACHAT ET D'ORGANISATION, ON FINIT PAR Y ARRIVER SANS TROP DE DIFFICULTÉS !

Adoptez les bols-repas sains et variés

Parce qu'elles demandent souvent des ingrédients et techniques précis, suivre des recettes classiques peut s'avérer compliqué et décourageant lorsque l'on manque de temps. Dans ce cas, il est intéressant d'opter plutôt pour des bols-repas ou assiettes complètes, c'est-à-dire des associations libres de différents ingrédients et préparations simples qui ensemble forment un repas équilibré. Cette typologie de plat, que vous pourrez explorer p. 118, permet en effet de dresser son déjeuner ou son dîner avec ce que l'on a à disposition, sans règle particulière sinon nos propres goûts et la présence des trois groupes alimentaires basiques (légumes, céréales et protéines). J'en suis une grande adepte depuis des années : c'est ce qui me permet de manger sainement et très varié malgré mes semaines overbookées. Chez moi, les plats à partager plus classiques sont réservés aux week-ends et aux journées plus légères !

Préparez certains aliments à l'avance

La meilleure astuce gain de temps à mes yeux : avoir toujours des céréales cuites au réfrigérateur. Le dimanche, ou à n'importe quel moment de la semaine, mettez à cuire quelques portions de deux céréales différentes – par exemple, du riz basmati et du quinoa, ou du boulgour et de la semoule de maïs. Stockez-les ensuite dans des boîtes de conservation, et vous avez une alternative toute prête aux pâtes pour plusieurs jours !

En hiver, je fais souvent la même chose pour les légumes rôtis, qui demandent un certain temps de cuisson. Courges, patates douces, carottes ou encore potimarrons sont enfournés en quantité dès que j'ai un moment, puis stockés au réfrigérateur pour mes bols-repas, ou pour les mixer dans des soupes express.

Pour les smoothies et les soupes, il est très utile aussi de préparer d'avance des pochettes remplies de fruits et/ou légumes lavés, épluchés et coupés que vous mettrez au congélateur. De cette façon, il ne vous restera plus qu'à les sortir et les utiliser, pour avoir un smoothie ou une soupe sans temps de préparation préalable.

Enfin, pour éviter de craquer pour des snacks industriels, j'essaie chaque semaine de me préparer au moins quelques portions d'encas maison : biscuits sains, boules énergétiques, chips au four, gâteaux, crêpes... Je m'en occupe lorsque j'ai un moment (souvent, le week-end, mais parfois aussi le soir quand je suis tranquille), et cela me permet d'avoir des goûters d'avance pour quelques jours.

Gardez quelques options rapides en stock

Les aliments rapides à cuisiner ne riment pas forcément avec fast-food ! Outre quelques crudités pour les salades, voici les trois grands types de nourriture « rapide » que j'ai toujours chez moi :

♣ **Les conserves de légumineuses.** Les pois chiches et les haricots, particulièrement, peuvent être assez longs à cuire, ainsi que certaines variétés de lentilles. Pour avoir des protéines à portée de main même en cas de manque de temps extrême, mon placard en contient toujours quelques conserves en verre (non toxiques, contrairement aux boîtes métalliques) que je me procure directement au supermarché ou dans mon magasin bio. C'est plus cher que de les acheter secs, mais ça sauve la vie !

♣ **Les légumes surgelés.** Qu'il s'agisse de simples épinards ou de mélanges à poêler, il est indispensable d'avoir des légumes au congélateur. La plupart sont légèrement blanchis avant d'être conditionnés, ce qui les rend plus rapides à cuire par la suite, tout en conservant une bonne valeur nutritive (beaucoup plus que les légumes en conserve, par exemple). Et comme les surgelés sont souvent moins chers, on a tout à y gagner !

♣ **Les nouilles asiatiques, la semoule et la polenta.** Même s'il est important de consommer régulièrement des grains entiers, pouvoir compter sur des céréales cuites en 3 à 5 minutes quand on n'a rien dans le frigo et peu de temps à consacrer à son repas s'avère particulièrement pratique ! En choisissant des versions moins transformées (semoule complète, nouilles de riz complet...), on s'assure un minimum de nutriments malgré la facilité.

Ayez les yeux plus gros que le ventre

Vous mitonnez un bon petit plat ? Doublez ou triplez les quantités : c'est un moyen d'optimiser le temps passé devant les fourneaux. Vous pourrez conserver les restes au réfrigérateur pour les consommer dans la semaine, ou les congeler par portions pour un repas prêt à réchauffer quand vous en aurez besoin. J'aime particulièrement suivre cette méthode pour les soupes, les purées, mais aussi pour les cakes salés, galettes et boulettes...

Faites au mieux, sans culpabiliser

Ne pas réussir à manger du 100 % fait maison quand on a une vie très active, c'est bien normal et ce n'est pas très grave. Plutôt que de culpabiliser, essayez d'appliquer à peu près la loi des 80/20, aussi pertinente en économie qu'en cuisine : 80 % de *home made*, et 20 % de tout fait. C'est déjà bien et cela permet de relâcher la pression lorsque l'on peut difficilement faire autrement. Notez en outre qu'il est possible de manger sainement même avec des aliments préparés de temps en temps, si on les choisit avec attention. Consultez la composition indiquée sur le paquet et optez pour des produits aussi naturels que possible, sans ingrédients chimiques étranges, sans graisses hydrogénées et sans trop de sucre.

Astuces pour rester gourmande

ON LE SAIT, LES INGRÉDIENTS DES GÂTEAUX, BISCUITS ET AUTRES PÂTISSERIES CLASSIQUES (FARINE RAFFINÉE, SUCRE BLANC, QUANTITÉS DE BEURRE..) NE SONT PAS CE QU'IL Y A DE PLUS NUTRITIF ET SAIN, ET MIEUX VAUT LES LIMITER. EST-IL POURTANT AUTANT NÉCESSAIRE D'Y RENONCER COMPLÈTEMENT ? PAS À MON SENS.

Trouvez votre équilibre

À moins qu'une condition, ou une pathologie particulière, ne restreigne le champ des possibles, je suis contre la privation, au profit d'un équilibre ouvert aux compromis : on peut se faire plaisir sans pour autant manger n'importe quoi !

Si je privilégie le fait maison au quotidien, je me permets régulièrement quelques exceptions sans arrière-pensée en préférant toujours l'artisanal et le bio si possible, et en lisant bien les étiquettes pour choisir les meilleures compositions. Je surveille particulièrement les quantités de sucre (quand il est en première position dans la liste, c'est mauvais signe !), les additifs et les mauvaises graisses (huile de palme, huiles hydrogénées...).

Faites des substitutions

Quand j'ai envie de préparer des gourmandises classiques à la maison, j'adapte les recettes en remplaçant certains ingrédients par des alternatives que je trouve plus intéressantes ou plus saines. Encore une fois, l'idée n'est pas de supprimer, mais de privilégier la qualité !

Plus l'on effectue de substitutions, surtout quand elles diffèrent beaucoup de l'ingrédient d'origine, plus l'on s'éloigne de l'aspect initial de la recette. Cela peut poser problème pour certaines réalisations très techniques (comme la pâtisserie fine), mais la majorité des recettes de gâteaux, cakes, biscuits... sont réussies malgré un changement de sucre ou de matière grasse, par exemple. Leur texture est parfois un peu différente et leur goût légèrement enrichi : gardez l'esprit ouvert à la nouveauté et aux découvertes qui vous attendent !

Voici quelques-unes des substitutions que j'effectue couramment :

Farine de blé blanche

➡ Farine de blé semi-complète ou complète, farine d'épeautre, mélange multi-céréales...

Les farines glutineuses (contenant du gluten) sont faciles à échanger entre elles. Préférez les farines complètes ou bises aux farines blanches, ou remplacez une partie de la farine blanche par de la farine complète pour un ajout de fibres et de nutriments. Vous pouvez également utiliser deux ou trois types de farine au lieu d'un seul, ou substituer une petite partie (20-30 %) par une farine sans gluten (sarrasin, avoine, châtaigne, poudre d'amande...).

Le remplacement de la farine de blé par de la farine entièrement dénuée de gluten est plus compliqué, c'est pourquoi il est préférable de se référer à des recettes spécifiques. Vous pouvez néanmoins faire des essais avec un mix de farine multi-usages, que l'on peut utiliser pour la plupart des pâtisseries. Des mélanges tout prêts, très pratiques, sont disponibles dans le commerce, mais ils sont très pauvres en nutriments ; mieux vaut donc privilégier les mix maison lorsque c'est possible (voir p. 17).

Sucres raffinés

➡ Sucre de canne non raffiné, miel cru, rapadura, muscovado, sucre de coco, sirop d'agave cru, sirop d'érable, stevia, xylitol...

Tout est bon pour éviter le sucre blanc ! Dans cette catégorie, les remplacements les plus aisés se font avec d'autres sucres cristallisés complets, comme le sucre de canne non raffiné, le sucre de coco, le rapadura ou le muscovado, que vous pouvez substituer à poids égal dans les gâteaux, cookies, crêpes...

➡ Pour les sirops et le miel, on conseille généralement une équivalence de ¾ de portion de sirop pour 1 portion de sucre blanc.

➡ Enfin, les édulcorants ont leur système propre. Le pouvoir sucrant du xylitol cristallisé augmente à la cuisson, il faut réduire la proportion de 30 à 50 % par rapport au poids de sucre donné. Pour la stevia, le système diffère selon les marques : reportez-vous à l'emballage.

➡ Notez en outre que la plupart des recettes de pâtisseries sont trop sucrées : je pars toujours d'une quantité de sucre réduite par rapport au chiffre donné lorsque je les reproduis à la maison.

Beurre fondu

➡ Huile de coco (désodorisée si besoin) fondue, huile neutre type ISIO 4, huile de tournesol, huile d'olive (douce en goût pour les préparations sucrées)...

Beurre à température ambiante

➡ Margarine végétale non hydrogénée, huile de coco (désodorisée si besoin), purée d'avocat, purée d'amande...

Dans les gâteaux et gourmandises qui ne sont pas faits maison, je considère que le vrai beurre (surtout bio) est préférable aux matières grasses végétales hydrogénées – des huiles transformées, souvent de palme, contenant des acides gras trans, dangereux pour la santé cardiovasculaire. Le beurre est toutefois riche en graisses saturées, et issu d'une industrie parfois contestable, c'est pourquoi je le limite aux petits plaisirs ponctuels.

À la maison, l'idéal pour remplacer le beurre reste d'utiliser des huiles végétales pures et vierges, si possible riches en oméga-3 plutôt qu'en oméga-6, les premiers étant souvent trop peu représentés dans notre alimentation. Je fonctionne globalement avec le ratio suivant : 100 g de beurre = 90 à 100 ml d'huile.

Lorsqu'une texture plus solide est nécessaire, en substitution du beurre mou, le même poids d'huile de coco, de purée d'oléagineux ou d'avocat mûr sont d'excellentes alternatives pour les plus curieux ! Lorsque la quantité de beurre est importante, n'hésitez pas à en substituer seulement une partie pour rester proche de la texture originelle.

Lait, crème et yaourts

➡ Lait de brebis, laits végétaux (soja, riz, amande, noisette, épeautre, avoine...), lait de coco à boire...

➡ Crème végétale (soja, avoine, riz, amande...), lait de coco à cuisiner ou crème de coco.

➡ Yaourts de brebis, yaourts de soja, yaourts de coco, tofu soyeux...

En cas d'intolérance au lait de vache, pensez au lait et aux yaourts de brebis, dont le goût est assez neutre, voire au lait de chèvre.

Parmi les options végétales sans lactose, celles qui sont à base de soja sont les plus proches des laitages classiques. Dans un gâteau, elles n'apportent pas de saveur particulière. Mais n'hésitez pas à profiter de certaines alternatives pour ajouter du goût à vos recettes (coco, amande, noisette...).

En cuisine

Toutes les recettes
de cuisine présentées dans
Green Life sont végétariennes,
c'est-à-dire sans viande, ni poisson, ni fruits
de mer, et ne contiennent aucun sucre raffiné.

Certaines sont en outre adaptées
à des régimes plus spécifiques ; elles sont
alors signalées par un code dont
vous trouverez ci-contre
la légende.

LÉGENDES

🥄 temps de préparation

🍲 temps de trempage ou repos

🫕 temps de cuisson

🐾 végétalien (sans produits laitiers ni œufs)

🍶 sans produits laitiers, sans lactose

🥚 sans œufs

🌾 sans gluten

PETITS DÉJEUNERS

100% forme

On ne le répétera jamais assez : le petit déjeuner est le repas
le plus important de la journée. C'est aussi la première source
d'énergie du corps ! Pour lui apporter tous les nutriments
nécessaires jusqu'à midi, on se délecte de mets riches
qui éviteront le coup de barre du milieu de la matinée.

Smoothies nourrissants

POUR NOUS DONNER DE L'ÉNERGIE JUSQU'À MIDI, LES SMOOTHIES DU MATIN SE DOIVENT D'ÊTRE RICHES EN VITAMINES, BIEN SÛR. MAIS IL EST ÉGALEMENT IMPORTANT QU'ILS CONTIENNENT DES PROTÉINES, DE BONS ACIDES GRAS ET DES FIBRES, QUI PERMETTRONT DE RALENTIR LE PASSAGE DES SUCRES DANS LE SANG. LES APPÉTITS LES PLUS RÉDUITS POURRONT ALORS S'EN CONTENTER POUR LE PETIT DÉJEUNER, TANDIS QUE LES PLUS GOURMANDS LE COMPLÉTERONT AVEC UNE AUTRE PRÉPARATION DE LEUR CHOIX. PENSEZ AUSSI À CES BOISSONS POUR PRENDRE DES FORCES AVANT LE SPORT !

Toutes les doses indiquées sont pour 1 grand verre type *mason jar,* ou deux portions moyennes.

♪ de 5 à 10 minutes

INSTRUCTIONS

Versez tous les ingrédients dans votre blender, et mixez jusqu'à obtenir une texture homogène. N'hésitez pas à augmenter la quantité de liquide si nécessaire et à faire des pauses pour redescendre les aliments vers les lames si le moteur peine.

Smoothie « perfect breakfast »

C'est mon smoothie du matin préféré, et un repas complet à lui seul !
Je ne me lasse pas de la fusion entre la saveur sucrée acidulée des fruits et le côté toasté des oléagineux.

* ★ 1 banane
* ★ 1 poignée de fraises fraîches ou surgelées (environ 100 g)
* ★ 2 ou 3 cuill. à soupe bombées de flocons d'avoine complets
* ★ 1 cuill. à soupe de purée d'oléagineux nature (cacahuète, amande, noisette...)
* ★ 1 cuill. à soupe de graines de chia
* ★ 1 verre d'eau de coco

Smoothie banane-noisette

La texture riche de ce smoothie l'apparente à un milkshake. Une vraie gourmandise, et un concentré d'énergie !

* ★ 1 petite banane
* ★ 2 cuill. à soupe de purée de noisettes nature
* ★ 1 cuill. à soupe bombée de flocons d'avoine
* ★ 1 petit verre de lait de cajou (cf. recette p.176) ou d'amande nature

Le + Santé
de l'açaï

Pour booster votre santé, ajoutez
1 cuill. à soupe d'açaï en poudre

Cette baie pourpre à l'état frais est très
riche en antioxydants ; de plus elle
contient des vitamines (C et E),
des minéraux...

Plus ou moins épais, dans un verre ou un bol...
À vous de trouver la texture que vous préférez
en jouant sur les quantités de liquide.

Smoothie bowl au yaourt et fruits rouges

Si vous souhaitez déguster ce smoothie
dans un bol, comme une crème
ou une glace, il vous faudra obtenir
une texture assez ferme. Ajoutez
donc le liquide petit à petit pour
aider votre blender, mais sans excès.
Après quelques minutes, les propriétés
mucilagineuses des graines de chia
contribueront à solidifier le tout.

★ 150 g de fruits rouges surgelés
★ ½ banane ou 50 g de mangue
★ 3 cuill. à soupe de yaourt nature
   onctueux (vache, brebis, soja...)
★ 2 cuill. à soupe de graines de chia
★ ½ verre de lait végétal nature

*À ajouter selon vos goûts :
dés de fruits frais au choix,
copeaux de noix de coco,
muesli, baies de goji, pépites
de cacao, graines, noix...*

Smoothie mangue-coco

Ne vous étonnez pas, ce smoothie
très onctueux contient... des haricots
blancs ! Leur contenu nutritionnel
est excellent (protéines, fibres, fer...)
et ils ne dénaturent pas le goût de la
boisson tout en la rendant encore plus
crémeuse. Alors pourquoi s'en priver ?

★ 150 g de mangue en morceaux
   (fraîche ou surgelée)
★ 100 g de haricots blancs
   cuits, bien rincés
★ 1 cuill. à soupe bombée
   de crème de coco
★ 1 petit verre d'eau de coco

FACULTATIF : 2-3 feuilles de menthe

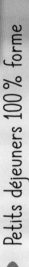

Petits déjeuners 100 % forme

41

Granolas croustillants

LE GRANOLA EST UN MÉLANGE DE CÉRÉALES ET DE FRUITS SECS DORÉ AU FOUR QUI NOUS VIENT TOUT DROIT DES ÉTATS-UNIS. CONTRAIREMENT AU MUESLI «CRU», AU GOÛT PLUS NATURE, SON COUSIN AMÉRICAIN OFFRE UN RÉSULTAT CROUSTILLANT ET LÉGÈREMENT SUCRÉ. FACILE À RÉALISER, MÊME EN GRANDES QUANTITÉS, IL EST UNE OPTION IDÉALE POUR UN PETIT DÉJEUNER NOURRISSANT ET PERSONNALISÉ. EN UTILISANT DES CÉRÉALES COMPLÈTES ET DES SUCRES ALTERNATIFS, VOUS OBTIENDREZ UN MÉLANGE BIEN PLUS SAIN QUE CEUX DU COMMERCE, ET 100% ADAPTÉ À VOTRE GOÛT !

Pour un bocal de 1 litre

★ 250 g de flocons de céréales complètes (avoine, riz, orge, seigle, quinoa soufflé...)

★ 100 g de noix et graines (noisette, amande, tournesol, citrouille, pécan, coco...)

★ 2 cuill. à soupe d'huile végétale (coco, tournesol, noisette...)

★ 5 à 6 cuill. à soupe de sirop d'agave, d'érable, de miel ou de sucre de coco liquide

★ 1 à 2 cuill. à soupe d'extrait de vanille

★ 1 grosse pincée de sel

Recette de base   10 min   30 min

1 Versez dans un grand saladier les flocons de céréales, les noix et les graines (éventuellement hachées), et mélangez bien.

2 Si besoin, faites fondre l'huile de coco. Mélangez ensuite dans un petit récipient l'huile, le sirop sucrant, le sel et la vanille.

3 Versez le liquide dans le saladier qui contient les ingrédients secs et mélangez bien avec vos mains jusqu'à ce que toutes les céréales soient bien imprégnées.

4 Habillez une plaque de four de papier sulfurisé, et versez-y le contenu du saladier en le répartissant bien sur tout l'espace disponible. Réglez votre four à 130 °C et enfournez pendant environ 30 minutes, ou jusqu'à ce que votre granola soit bien doré.

5 Sortez la plaque du four, et laissez refroidir entièrement avant de verser votre granola dans un grand pot à fermeture hermétique. Vous pourrez l'y conserver pendant quelques semaines.

IDÉES DE TOPPINGS

Variez les plaisirs en complétant la recette de base avec différents ingrédients, par exemple :

☆ Banane séchée, copeaux de noix de coco
☆ Noix de pécan, noisettes, sirop d'érable
☆ Pomme séchée, ½ cuill. à café de cannelle, graines de citrouille et raisins secs
☆ 2 cuill. à soupe de cacao, amandes, noisettes, pépites de chocolat noir
☆ Noix de cajou, cranberries, baies de goji...

ATTENTION
le chocolat et les fruits séchés doivent être ajoutés au granola une fois que celui-ci est entièrement refroidi.

*À déguster avec du lait, du yaourt,
des fruits frais, de la compote... ou nature.*

Le + Santé
des fruits à coques

Amandes, noix et noisettes...
ont d'excellentes vertus nutritionnelles :
riches en fibres et en protéines
végétales, elles contiennent
des acides gras insaturés qui ont
un effet bénéfique sur le système
cardiovasculaire. De plus, leur effet
rassasiant limite le grignotage.
À privilégier donc au petit déjeuner
pour tenir jusqu'au repas du midi !

43

Porridges gourmands

DANS MA FAMILLE, LES PORRIDGES
(NOUS LES APPELIONS *OATMEAL*,
AMÉRICANISME OBLIGE!) ÉTAIENT LES PETITS
DÉJEUNERS DES WEEK-ENDS ET DES JOURS OÙ
L'ON PRENAIT SON TEMPS. JE LES ARROSAIS
DE KILOS DE VERGEOISE (QUE NOUS APPELIONS
« CASSONADE », ORIGINES BELGES OBLIGENT!),
CE QUI ENCHANTAIT MA DENT SUCRÉE.

AUJOURD'HUI, LES PORRIDGES SONT
MON PETIT DÉJEUNER EN HIVER :
RÉCONFORTANTS, NOURRISSANTS,
ILS MÉRITENT BIEN QU'ON LEUR CONSACRE
5 MINUTES CHAQUE MATIN! J'AI APPRIS
À LES DÉCLINER SOUS DIFFÉRENTES
FORMES, AVEC DES INGRÉDIENTS VARIÉS
ET SAINS, POUR ÉVITER LA MONOTONIE.

POUR L'EMPORTER

Si vous avez besoin d'emporter votre
petit déjeuner, préférez le porridge
cru « overnight ». Préparez-le
directement dans une petite boîte
de conservation ou une jarre avec
couvercle, afin de le glisser dans votre
sac avec une cuillère avant de partir.

Porridge de sarrasin et noisette

Riche de ses saveurs hivernales, ce
porridge doux est délicieux. Les propriétés
mucilagineuses des flocons de sarrasin
permettent d'obtenir très rapidement
une texture fondante, ce qui rend
la préparation idéale pour les impatients !
En modulant le temps de cuisson, vous
trouverez vite le résultat qui vous convient :
pour ma part, j'aime ce porridge assez
épais, quand le liquide a déjà été largement
absorbé.

Pour 1 personne 2 min 3 min

★ 20 cl de lait de riz-épeautre-noisette
(en magasin bio)
★ 1 cuill. à soupe de purée de noisettes
★ 1 bonne poignée de flocons de sarrasin
★ 1 trait de sirop d'érable

1 Versez tous les ingrédients dans
une petite casserole.

2 Chauffez à feu doux en remuant
constamment jusqu'à obtenir une texture
plus épaisse et arrêtez la cuisson lorsque
vous êtes satisfait(e) du résultat.

3 Servez immédiatement, avec un trait
de sirop d'érable et les toppings
de votre choix.

TOPPINGS

Vous pouvez agrémenter la préparation avec
des noisettes ou des amandes concassées,
ou encore des pépites de chocolat...

Porridge douceur à la fraise

Avec son goût tout doux, ce porridge plaira à toute la famille. Cuire les fraises permet de rehausser leur goût et d'obtenir une texture plus moelleuse, mais vous pouvez les ajouter crues après cuisson si vous préférez.

Pour 1 personne 5 min 5 min

★ 20 cl de lait de riz
★ 1 bonne poignée de flocons d'avoine complets
★ 5 ou 6 fraises (fraîches ou congelées)
★ 1 cuill. à café d'extrait de vanille
★ 1 filet de sirop d'agave, de riz, d'orge...

1 Versez le lait, les flocons, les fraises et la vanille dans une petite casserole et faites chauffer à feu doux.

2 Lorsque le mélange a épaissi et que les fraises ont légèrement cuit, coupez le feu et ajoutez un filet de sirop si vous le souhaitez.

3 Servez immédiatement.

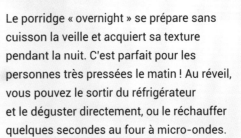

Porridge « overnight » banane-cacahuète

Le porridge « overnight » se prépare sans cuisson la veille et acquiert sa texture pendant la nuit. C'est parfait pour les personnes très pressées le matin ! Au réveil, vous pouvez le sortir du réfrigérateur et le déguster directement, ou le réchauffer quelques secondes au four à micro-ondes.

Pour 1 personne 5 min 8 min

★ 10 cl de lait d'amande
★ 10 cl de yaourt nature (vache, brebis, soja...)
★ 1 bonne poignée de flocons d'avoine complets
★ ½ banane
★ 1 cuill. à soupe de purée de cacahuètes
★ 1 cuill. à soupe de graines de chia
★ 1 cuill. à café de sucre non raffiné de votre choix

TOPPINGS : copeaux de coco, pépites de chocolat, fruits...

1 La veille, coupez la banane en rondelles, puis versez tous les ingrédients dans un bol ou une boîte de conservation. Mélangez bien.

2 Laissez reposer au réfrigérateur toute la nuit : la texture va devenir plus consistante, mais bien moelleuse.

3 Au matin, ajoutez un peu de lait si vous le souhaitez et dégustez avec les toppings de votre choix.

VARIANTES

Vous pouvez décliner ce porridge sans cuisson avec d'autres saveurs, en essayant par exemple différents types de fruits, de laits, ou en y ajoutant des épices.

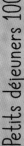

Porridge choco-coco

SI LE MÉLANGE DE SAVEURS DU CHOCOLAT ET DE LA NOIX DE COCO
VOUS PLAÎT, ESSAYEZ ABSOLUMENT CE PORRIDGE ! IL DONNE PRESQUE
L'IMPRESSION DE MANGER DU GÂTEAU, TANT IL EST GOURMAND.

Pour 1 personne — 2 min — 8 min

* ★ 20 cl de lait végétal neutre (soja, riz, épeautre, amande sans sucre...)
* ★ 1 bonne poignée de flocons d'avoine complets
* ★ 2 cuill. à soupe de beurre de coco
* ★ 2 carrés de chocolat noir
* ★ 1 cuill. à café de sucre de coco (facultatif)

1 Versez le lait, les flocons d'avoine, le morceau de chocolat et le sucre dans une petite casserole et faites chauffer à feu doux.

2 Remuez constamment jusqu'à ce que le mélange épaississe. Lorsque la consistance vous convient, arrêtez le feu.

3 Dans le porridge encore chaud, ajoutez le beurre de coco et mélangez pendant quelques secondes pour qu'il fonde.

4 Servez immédiatement avec les toppings de votre choix.

Petits déjeuners 100 % forme

LE BEURRE DE COCO

Il s'obtient en mixant de la noix de coco râpée jusqu'à obtenir une purée, comme pour une purée d'amandes, par exemple. Vous pouvez le faire vous-même ou l'acheter en magasin bio. Attention, risque d'addiction !

Complétez la préparation avec de la noix de coco râpée, des pépites de chocolat, des tranches de banane...

Cakes & muffins du matin

MANGER DES GÂTEAUX AU PETIT DÉJEUNER ?
ET POURQUOI PAS ! IL SUFFIT D'OPTER
POUR DES RECETTES NUTRITIVES ET
RAISONNABLEMENT SUCRÉES AFIN
D'OFFRIR À L'ORGANISME UN MAXIMUM
D'ÉNERGIE POUR TOUTE LA MATINÉE.
N'HÉSITEZ PAS À DOUBLER LES QUANTITÉS
ET/OU À CONGELER UNE PARTIE
DE VOS GÂTEAUX POUR AVOIR TOUJOURS
SOUS LA MAIN UN PETIT DÉJEUNER
SAIN ET FACILE À EMPORTER QUAND
VOUS AVEZ PEU DE TEMPS LE MATIN.

Muffins complets aux fruits rouges

Aucune raison de ne pas se faire plaisir dès le matin avec ces muffins bourrés de bonnes choses. Trois céréales différentes, une belle dose de fibres, des fruits, des protéines, pas de matière grasse indigeste – bref, de quoi commencer la journée du bon pied !

Pour 8 à 12 muffins 15 min 30 min

★ 100 g de farine de blé complète
★ 120 g de farine d'épeautre blanche
★ 50 g de flocons d'avoine complets
★ 100 g de sucre de fleur de coco
★ ½ sachet de levure
★ 1 bonne pincée de sel
★ 150 g de yaourt de soja nature
★ 10 cl de lait d'amande ou de soja sans sucre ajouté
★ 4 cuill. à soupe de compote sans sucre ajouté
★ 1 œuf
★ 1 cuill. à café d'extrait de vanille
★ 125 g de fruits rouges surgelés

1 Préchauffez le four à 180 °C.

2 Mélangez tous les ingrédients secs dans un saladier. Mélangez tous les ingrédients humides à part, puis incorporez-les dans le mélange sec, mais sans aller jusqu'à homogénéiser complètement la pâte. Incorporez enfin les myrtilles congelées au dernier moment.

3 Versez dans des moules ou des petites caissettes, en remplissant presque jusqu'au bord pour obtenir de jolis dômes, et enfournez pendant environ 30 min, jusqu'à ce que la lame d'un couteau enfoncée dans le muffin ressorte propre.

Muffins façon cornbread

J'ai toujours adoré le cornbread, sorte d'hybride entre pain et gâteau, traditionnel dans le sud des États-Unis. Son goût de maïs est tellement gourmand ! Autrefois, il était préparé avec du lait ribot, puis cuit dans un poêlon, et consommé à la place du pain.

Pour 6-8 muffins   5 min   15 min

- ★ 200 g de farine de maïs jaune
- ★ 100 g de farine neutre de votre choix (blé, épeautre, riz...)
- ★ ½ sachet de levure
- ★ 350 g de yaourt nature un peu fluide ou de lait ribot
- ★ 2 cuill. à soupe d'huile de tournesol
- ★ 2 œufs
- ★ 1 pincée de sel

1 Préchauffez le four à 200 °C.

2 Dans un saladier, versez les ingrédients secs, puis ajoutez tout le reste et mélangez bien pour obtenir une pâte homogène.

3 Versez la pâte dans des petits moules à muffins et enfournez pour environ 15 à 20 min, jusqu'à ce que les bords commencent à dorer et qu'une lame de couteau piquée dans un gâteau ressorte propre.

4 Dégustez ces muffins comme du pain, avec du beurre et du miel ou de la confiture. Pour éviter qu'ils se dessèchent, conservez-les dans une boîte hermétique.

CORNBREAD CLASSIQUE

Je le prépare sous forme de muffins pour des raisons pratiques, mais vous pouvez cuire la pâte dans un moule à cake en allongeant le temps de cuisson d'environ 10 minutes.

Le + Santé
de la farine de maïs

Naturellement pauvre en gluten, la farine de maïs compte parmi les plus riches en antioxydants, qui protègent des dommages provoqués par les radicaux libres.

NE PAS CONFONDRE

La farine de maïs jaune n'est pas équivalente à la maïzena, ou fécule de maïs. Il s'agit plutôt d'une sorte de polenta très fine, que vous trouverez en magasin bio.

Petits déjeuners 100 % forme

49

*Riche et savoureux,
le banana bread
est un cake idéal
pour le matin.*

Cake à la banane

LE BANANA BREAD EST L'UNE DE MES MADELEINES DE PROUST : MON PÈRE NOUS EN PRÉPARAIT DE TEMPS EN TEMPS LORSQUE NOUS ÉTIONS ENFANTS. C'EST AUSSI L'UNE DES RECETTES LES PLUS POPULAIRES SUR MON BLOG ! OUTRE SON GOÛT DÉLICIEUX, ELLE PERMET D'UTILISER LES VIEILLES BANANES QUI NOIRCISSENT DANS LE PANIER À FRUITS.

Pour 1 moule à cake

* ★ 3 bananes très mûres
* ★ 100 g de sucre de coco
* ★ 85 g de margarine végétale non hydrogénée
* ★ 2 œufs
* ★ 2 cuill. à soupe de lait de soja ou d'amande nature
* ★ 250 g de farine d'épeautre
* ★ 2 cuill. à café de levure
* ★ ½ cuill. à café de bicarbonate de soude
* ★ 1 pincée de sel

🥄 10 min 🍲 40 min

1 Préchauffez le four à 180 °C.

2 Écrasez les bananes à la fourchette au fond d'un saladier pour obtenir une purée grossière. Ajoutez le sucre, la margarine, les œufs, le lait, et fouettez le tout pour obtenir un mélange homogène.

3 Ajoutez la levure, le bicarbonate et le sel, puis incorporez petit à petit la farine jusqu'à obtenir une pâte épaisse.

4 Versez dans un moule à cake et enfournez pour 40 à 50 minutes environ, selon la puissance de votre four.

Le + Santé
de la farine d'épeautre

Si vous ne digérez pas le blé, n'hésitez pas à le remplacer par de la farine d'épeautre complet. L'épeautre a aussi l'avantage d'apporter plus de protéines que les autres céréales, et d'être plus riche en fer.

BON À SAVOIR
Le banana bread est encore meilleur le lendemain, alors essayez de ne pas tout manger d'un coup !

Crêpes & pancakes

QUAND JE VEUX DÉMARRER LA JOURNÉE
EN DOUCEUR, LES CRÊPES ET LES PANCAKES
SONT MON RÉFLEXE NUMÉRO 1. AUTANT VOUS
DIRE QUE JE M'EN PRÉPARE SOUVENT !
QUAND ON MANQUE DE TEMPS, L'IDÉAL EST
DE PRÉPARER LA PÂTE LA VEILLE AU SOIR
ET DE LA LAISSER REPOSER TOUTE UNE NUIT
AU RÉFRIGÉRATEUR : ELLE NE S'EN TIENDRA
QUE MIEUX, ET VOUS N'AUREZ PLUS QU'À
CHAUFFER LA POÊLE POUR LA FAIRE CUIRE.

DES GRUMEAUX ?
Si la pâtes est pleine
de grumeaux, passez-
la au mixeur ou au
blender pour lui rendre
une parfaite homogénéité.

Crêpes basiques

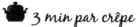

Ma recette basique de crêpes ressemble aux versions traditionnelles ; seule change la nature des ingrédients, plus en phase avec mes critères habituels. Vous pouvez même substituer de la purée d'amande aux œufs pour une version vegan.

Pour 4 personnes

🥄 15 min 🥣 30 min

🍲 3 min par crêpe

- ★ 250 g de farine d'épeautre blanche
- ★ 65 cl de lait de soja ou d'amande nature
- ★ 2 œufs ou 1 cuill. à soupe bombée de purée d'amande
- ★ 1 cuill. à soupe de sirop d'agave
- ★ 1 cuill. à café d'extrait de vanille
- ★ 1 pincée de sel

1 Dans un saladier, mélangez la farine avec le lait, les œufs ou la purée d'amande, le sirop et la vanille, en fouettant. Ajoutez une pincée de sel. Couvrez le saladier d'un linge et laissez reposer la pâte au moins 30 minutes.

2 Faites chauffer une poêle huilée. Versez une petite louche de pâte et répartissez-la en tournant la poêle sur elle-même, puis laissez cuire jusqu'à ce que les bords commencent à se décoller et à dorer.

3 Retournez la crêpe à l'aide d'une spatule, laissez cuire encore une minute, puis transvasez la crêpe dans une assiette. Répétez l'opération jusqu'à épuisement de la pâte.

VARIANTE PLUS MOELLEUSE

Je trouve cette recette encore meilleure lorsque j'utilise un mélange de farines sans gluten tout usage au lieu de la farine d'épeautre : le moelleux est incomparable ! Réduisez un peu la quantité de lait dans ce cas : 50 ou 55 cl devraient suffire.

Les crêpes à la pâte à tartiner maison : l'un de mes petits déjeuners préférés pour le week-end !

Pancakes aux bananes

IL Y A QUELQUES ANNÉES, UNE ÉTONNANTE RECETTE DE PANCAKES « DIÉTÉTIQUES »
À BASE D'ŒUFS ET DE BANANES, SANS SUCRE NI MATIÈRE GRASSE, A ÉTÉ POPULARISÉE
SUR LA TOILE. JE LES AI ADOPTÉS AVEC GRAND PLAISIR, TANT ILS SONT MOELLEUX
ET GOURMANDS ! MA VERSION CONTIENT UN PEU DE FARINE ET DE LEVURE EN PLUS,
POUR UNE PÂTE À LA FOIS PLUS CONSISTANTE ET PLUS AÉRIENNE.

Pour 2 personnes

★ 2 bananes moyennes

★ 3 œufs

★ 1 cuill. à café
d'extrait de vanille

★ 2 cuill. à soupe de farine
de votre choix

★ ½ cuill. à café de levure

🥄 10 min 🍲 3 min par crêpe

1 Dans un bol, écrasez avec soin les bananes pour obtenir une purée
aussi homogène que possible. Ajoutez les œufs, la vanille, la farine
et la levure, et mélangez vigoureusement.

2 Mettez à chauffer une poêle huilée à feu doux, puis faites cuire
les pancakes comme des crêpes, en les retournant à mi-cuisson.

3 Dégustez rapidement pour profiter de tout leur moelleux.

ATTENTION !

Très pauvres en farine, ces pancakes sont plus difficiles
à décoller et à manipuler que les pancakes traditionnels,
mais ne vous découragez pas : on attrape vite le coup de main !

CONSEIL PRATIQUE

Je vous conseille de préparer cette pâte juste avant
dégustation plutôt que la veille au soir comme les autres,
pour qu'elle ne s'oxyde pas pendant la nuit.

ATTENTION AU SUCRE !
Si vous utilisez des
bananes bien mûres,
les pancakes seront
déjà sucrés. Ajustez
vos accompagnements
en conséquence !

Pancakes sans gluten

Si vous voulez tester le sans-gluten, ces pancakes sont une bonne option pour vous lancer. Sans ingrédients trop étranges, ils sont faciles à réussir et très proches des pancakes américains classiques en termes de goût et de texture.

Pour environ 15 petits pancakes

🥄 10 min   🍲 5 min par pancake

- ★ 200 g de farine de riz complet
- ★ 50 g de maïzena ou fécule de pomme de terre
- ★ 1 cuill. à soupe de levure
- ★ 30 cl de lait de soja ou d'amande
- ★ 2 œufs
- ★ 2 cuill. à soupe d'huile de tournesol
- ★ 1 cuill. à café d'extrait de vanille

1 Dans un saladier, mélangez les ingrédients secs, puis ajoutez petit à petit le lait, les œufs, l'huile et la vanille jusqu'à obtenir une pâte homogène.

2 Faites chauffer une poêle huilée et pour chaque pancake, déposez-y une petite louche de pâte. Laissez cuire ce premier côté jusqu'à ce que la surface visible soit constellée de petits trous – cela peut prendre un peu plus de temps pour le premier.

3 Retournez alors le pancake à l'aide d'une spatule et laissez-le cuire encore une vingtaine de secondes avant de le transvaser dans une assiette. Répétez l'opération jusqu'à épuisement de la pâte.

PAS DE FÉCULE DE MAÏS ?

Si vous n'avez pas de fécule sous la main, vous pouvez tout simplement la remplacer par 50 g de farine de riz supplémentaires. Le résultat sera un peu moins moelleux, mais très bon quand même !

Crêpes de sarrasin

La vraie galette bretonne, à base de sarrasin, était à l'origine un plat humble contenant uniquement de la farine et de l'eau. Bien qu'elle soit généralement associée aux plats salés, on peut la consommer comme une crêpe classique, avec des garnitures sucrées. C'est la recette idéale des jours de frigo vide, légère mais gourmande et nourrissante !

Pour 4 personnes

🥄 5 min   🍲 3 min par crêpe

- ★ 250 g de farine de sarrasin
- ★ 60 cl d'eau
- ★ 1 pincée de sel
- ★ ½ cuill. à café de bicarbonate

1 Dans un saladier, mélangez la farine, le bicarbonate et le sel, puis ajoutez l'eau petit à petit en fouettant.

2 Mettez à chauffer une poêle huilée et faites cuire comme des crêpes, en retournant chaque galette à mi-cuisson.

ASSOCIATIONS

En sucré, le sarrasin se marie particulièrement bien au chocolat ou aux fruits d'automne (pomme, poire, châtaigne…).

Pain maison

RIEN N'EST PLUS SATISFAISANT QUE DE FAIRE SON PROPRE PAIN. J'AVAIS TOUJOURS
PENSÉ QUE CE SERAIT TRÈS COMPLIQUÉ, ALORS QUE LE PROCÉDÉ EST SIMPLISSIME,
VRAIMENT À LA PORTÉE DE TOUS ! IL FAUT JUSTE UN PEU DE PATIENCE, PUISQUE LA PÂTE
DOIT REPOSER DEUX FOIS. SI VOUS VOUS LANCEZ AU RETOUR DU TRAVAIL OU LE DIMANCHE
APRÈS-MIDI, VOUS AUREZ LE TEMPS DE VAQUER À VOS OCCUPATIONS ENTRE CHAQUE ÉTAPE.

Pour 1 pain d'environ 75 g

* ★ 500 g de farine
  semi-complète d'épeautre
  ou 250 g de farine blanche
  + 250 g de farine complète
* ★ 25 g de levain d'épeautre
  (en magasin bio)
* ★ 3 grosses pincées de sel marin
* ★ 30 à 35 cl d'eau tiède
* ★ Graines de tournesol, de courge,
  de sésame... (facultatif)

Pain d'épeautre 🥄 15 min 🥣 90 min 🍲 45 min

1 Dans un saladier, versez la farine, le levain et le sel, puis 30 cl d'eau
tiède. Avec les mains bien propres, commencez à pétrir la pâte
pour que l'eau imprègne toute la farine. Si vous sentez que c'est trop
sec, ajoutez un peu d'eau, jusqu'à obtenir une masse moelleuse sans
être collante (si elle colle, ajoutez un peu de farine). Continuez à pétrir
pendant quelques minutes pour que la pâte devienne vraiment
très élastique.

2 Couvrez le saladier d'un linge propre légèrement humide et laissez
reposer 30 minutes, de préférence à proximité d'un radiateur
ou dans un endroit bien chauffé.

3 Reprenez la pâte, pétrissez-la légèrement pour faire sortir l'air,
puis disposez-la dans un moule à pain, à cake, ou directement
sur une plaque de four couverte de papier sulfurisé, en lui donnant
sa forme finale. Couvrez et laissez reposer pendant environ une heure.

4 Préchauffez le four à 220 °C. Retirez le linge, disposez des graines
de tournesol ou de courge sur le dessus si vous le souhaitez
et enfournez le pain pour environ 40 à 45 minutes, jusqu'à
ce qu'il dore légèrement et sonne creux si vous tapotez dessus.

CONGELER SON PAIN

Si possible, coupez-le en tranches ou en tronçons d'environ 5 cm
avant de le congeler, afin de réduire le temps de décongélation.

Pour obtenir à nouveau un pain chaud à la croûte croustillante,
préchauffez le four à 200 °C, puis éteignez-le et déposez
les tranches de pain dedans. Vérifiez régulièrement
la décongélation, surtout pour les tranches fines : vous devriez
avoir un résultat bien tiède et croustillant en 20 minutes.

UNE FARINE
QUI CHANGE

Je fabrique mon pain à partir
d'épeautre plutôt que de blé,
moins digeste et plus
transformé. C'est une farine
qui lève bien, et qui donne
un résultat assez proche
des pains traditionnels tout
en changeant un peu !

Pâtes à tartiner & confitures

LES PÂTES À TARTINER SUCRÉES QUE NOUS
AIMONS DÉGUSTER SUR DU PAIN, DES CRÊPES
OU MÊME DANS DES YAOURTS SONT RAREMENT
TRÈS «SANTÉ». QUAND ELLES NE SONT
PAS BOURRÉES DE SUCRES RAFFINÉS,
C'EST LEUR TENEUR EN MAUVAISES GRAISSES
QUI POSE PROBLÈME – SANS PARLER
DE CELLES QUI CUMULENT LES DEUX.
MAIS POURQUOI RENONCER À QUELQUE
CHOSE QUI NOUS FAIT PLAISIR QUAND
ON PEUT LE PRÉPARER SOI-MÊME DANS
UNE VERSION PLUS SAINE? LES RECETTES
SUIVANTES SONT TRÈS SIMPLES À RÉALISER,
RICHES EN GOÛT, MAIS DÉPOURVUES
DE SUCRE BLANC ET D'HUILE DE PALME!

Pâte à tartiner choco-noisettes

Cette pâte à tartiner alternative, à la fois
facile et rapide à réaliser, a l'avantage
de requérir très peu d'ingrédients.
Son goût n'est pas exactement le même que
celui du leader italien : un peu plus chocolaté,
moins sucré… Néanmoins, elle devrait ravir
les gourmands ! Si vous êtes plusieurs à en
manger à la maison, n'hésitez pas à doubler
ou tripler les quantités.

Pour 1 pot de 80 à 100 g

🥄 15 min

★ 40 g de chocolat noir
★ 1 cuill. à soupe bombée de purée de noisettes
★ 1 cuill. à soupe d'huile de tournesol
★ 1 cuill. à café de sirop d'agave

1 Concassez le chocolat et versez-le dans
un bol. Mettez le récipient au bain-marie en le
déposant dans une casserole remplie d'un fond
d'eau que vous chaufferez à feu doux. Attention
à ne pas porter l'eau à ébullition pour éviter que
les remous n'éclaboussent le chocolat !

2 Quand tout a fondu, sortez le bol de l'eau.
Ajoutez au chocolat liquide le reste des
ingrédients, en ajustant éventuellement
la quantité de sirop selon vos goûts.

3 Versez la pâte à tartiner dans un petit
pot et dégustez immédiatement, ou
conservez-la au réfrigérateur pendant
1 à 2 semaines.

VARIANTE

Pour un goût un peu plus doux et lacté,
vous pouvez ajouter une cuillerée à café
de crème de soja au mélange.

Crème de marrons

La crème de marrons, ou confiture de châtaigne, est l'un de mes péchés mignons. Malheureusement, on en trouve difficilement à l'étranger : les expatriés comme moi doivent se débrouiller tout seuls ! Ma version est beaucoup plus simple et rapide que la recette traditionnelle, qui demande souvent 1 heure et demie à 2 heures de préparation. Et bien sûr, elle ne contient pas de sucre raffiné !

Pour 1 pot d'environ 35 cl

🥄 10 min 🍲 30 min

★ 200 g de châtaignes cuites, sous vide ou en bocal
★ 30 cl d'eau (ou juste de quoi couvrir les châtaignes)
★ 1 gousse de vanille
★ 80 g de sirop d'agave, d'érable, de riz complet...

1 Mettez les châtaignes et l'eau dans une petite casserole. Ouvrez la gousse de vanille en deux, grattez toutes les petites graines et ajoutez-les au mélange.

2 Couvrez, portez à ébullition, puis découvrez et laissez mijoter à feu doux environ 30 minutes, en remuant de temps à autre pour éviter que la purée attache.

3 En fin de cuisson, il ne devrait plus rester beaucoup de liquide. Versez le tout dans un blender, ajoutez le sirop d'agave et mixez jusqu'à l'obtention d'une texture crémeuse. N'hésitez pas à ajouter un peu d'eau si le résultat est trop sec.

4 Versez dans un petit pot en verre et conservez quelques jours au réfrigérateur.

Confiture minute

J'AI LONGTEMPS DÉLAISSÉ LES CONFITURES EN RAISON DE LEUR RICHESSE EN SUCRE BLANC. LA GÉLIFICATION GRÂCE AUX PROPRIÉTÉS MUCILAGINEUSES DES GRAINES DE CHIA PERMET D'OBTENIR UNE CONSISTANCE ÉPAISSE SANS Y AVOIR RECOURS, ET EN UN MINIMUM DE TEMPS. ATTENTION NÉANMOINS : L'ABSENCE DE SUCRE DIMINUE LA DURÉE DE CONSERVATION DE CETTE CONFITURE, QUI DOIT DONC ÊTRE CONSOMMÉE ASSEZ RAPIDEMENT. N'HÉSITEZ PAS À DOUBLER OU TRIPLER LES QUANTITÉS SI VOUS ÊTES NOMBREUX.

Pour 1 pot de 20 cl

★ 200 g de fraises fraîches ou congelées

★ 2 cuill. à soupe de graines de chia

★ 1 ou 2 cuill. à soupe de sirop d'agave, d'orge, de riz complet...

★ 1 cuill. à soupe de vinaigre balsamique (facultatif)

15 min **10 min**

1 Déposez tous les ingrédients dans un blender et mixez-les.

2 Versez le tout dans une petite casserole et portez à ébullition. Laissez ensuite mijoter environ 10 minutes, jusqu'à ce que la confiture épaississe légèrement.

3 Videz le contenu de la casserole dans un petit pot en verre stérilisé et laissez refroidir : la confiture gagnera en consistance avec le froid.

4 Conservez le pot bien fermé au réfrigérateur jusqu'à une semaine.

VARIANTES

Vous pouvez tester avec d'autres fruits, comme différentes sortes de baies, des pêches, des abricots...

Le + Santé
des graines de chia

Les graines de chia sont naturellement riches en protéines, en fibres alimentaires et en « bons gras ». Elles renferment notamment de 15 % à 17 % d'oméga-3. Leur teneur élevée en fibres leur confère un grand pouvoir rassasiant.

Si vous aimez les tartines au petit déjeuner, ces préparations maison vous permettront de commencer la journée avec un minimum de sucres raffinés !

APÉRITIF

& entrées

Légères, hydratantes et pleines de bons ingrédients, les soupes et salades font des entrées idéales pour toute l'année. Les petits appétits pourront même les accompagner de tartines de houmous ou de fromage pour un repas complet.

Vous trouverez également dans ces pages quelques exemples de mises en bouche plus variées, comme des tartinades ou des wraps.

Idées pour l'apéritif

QUOI DE PLUS CONVIVIAL QU'UN APÉRITIF EN FAMILLE OU ENTRE AMIS? POUR CHANGER UN PEU DES FEUILLETÉS AUX SAUCISSES ET AUTRES CANAPÉS TRADITIONNELS, LES OPTIONS VÉGÉTARIENNES SAINES ET GOURMANDES NE MANQUENT PAS. INSPIRÉES DE DIFFÉRENTES CULTURES, CELLES QUE JE VOUS PROPOSE ICI APPORTERONT À VOS SOIRÉES UNE BELLE PALETTE DE SAVEURS !

Des saveurs inspirées de différentes régions du monde pour un apéritif haut en couleurs !

Les tartinades

Guacamole
Pour 1 saladier

🥄 10 min

★ 1/2 oignon
★ 1 petite tomate
★ Quelques branches de coriandre
★ 1 gros avocat ou 2 petits
★ 1 petit citron ou 1 citron vert
★ Sel marin, poivre du moulin
★ 1 pincée de cumin en poudre
★ Quelques gouttes de Tabasco (facultatif)

1 Épluchez l'oignon, pelez la tomate et découpez-les en petits morceaux. Ciselez la coriandre. Ouvrez l'avocat et prélevez sa chair.

2 Versez le tout dans un blender avec une bonne pincée de sel, le cumin, du poivre et le Tabasco, et arrosez de jus de citron fraîchement pressé. Mixez pendant quelques secondes jusqu'à obtenir la consistance désirée.

3 Servez immédiatement ou conservez au réfrigérateur pendant quelques heures au maximum, dans un récipient hermétique.

Pico de gallo

Pour 1 saladier

🥄 15 min 🥣 30 min

★ 3 belles tomates
★ ½ oignon
★ 1 petit bouquet de coriandre fraîche
★ 1 gousse d'ail
★ ½ piment jalapeño (facultatif)
★ 1 citron vert
★ Sel marin, poivre du moulin

1 Découpez les tomates et l'oignon en petits dés. Ciselez la coriandre, l'ail et le jalapeño. Versez le tout dans un blender, arrosez avec le jus du citron vert pressé, salez et poivrez. Mixez quelques secondes, afin d'obtenir une texture plus fine, mais toujours avec des petits morceaux.

2 Laissez reposer au moins 30 minutes, de préférence quelques heures, au réfrigérateur avant de servir. Conservez au frais pendant 3 ou 4 jours.

Labneh aux herbes

Pour 1 saladier

🥣 12 h 🥄 15 min

★ 500 g de yaourt de brebis au lait entier
★ 1 pincée de sel
★ Ciboulette, persil plat, estragon...
★ 1 filet d'huile d'olive

1 La veille, salez le yaourt et versez-le dans un chinois recouvert d'une mousseline propre (il faudra sans doute la replier sur elle-même une ou deux fois pour la rendre un peu plus épaisse). Refermez l'étamine en repliant ses bords, de façon à former un petit pochon que vous nouerez avec une ficelle.

2 Posez la passoire sur un saladier et laissez reposer toute la nuit.

3 Au matin, le labneh est prêt : récupérez-le et battez-le légèrement avec les herbes ciselées de votre choix.

4 Servez dans une assiette creuse, arrosé d'un filet d'huile d'olive, ou sur des tranches de concombre ou de pastèque.

VARIANTE SANS LACTOSE

Vous pouvez réaliser la même préparation avec du yaourt de soja nature sans sucre ajouté, si vous en appréciez le goût !

CONSERVATION Pour pouvoir le garder plus longtemps, laissez le labneh s'égoutter pendant 2 jours, puis formez des petites boules que vous conserverez dans un bocal rempli d'huile d'olive.

Le + Santé
du tahini

Le tahini est une purée issue du broyage des graines de sésame. Très riche en fibres et en oligoéléments, source de vitamine E, B1 et d'acides gras insaturés, cette purée beige ou noire est un atout pour l'équilibre nutritionnel, en particulier des végétariens, en raison des protéines qu'elle contient.

Houmous
Pour 1 saladier

🥄 15 min

★ 200 g de pois chiches cuits
★ 2 cuill. à soupe bombées de tahini complet
★ 2 ou 3 cuill. à soupe d'huile d'olive
★ 2 ou 3 pincées de cumin en poudre
★ Quelques gouttes de citron pressé
★ Persil frais
★ Sel marin, poivre du moulin

1 Rincez les pois chiches à l'eau claire. Versez tous les ingrédients dans un robot et mixez jusqu'à obtenir une texture crémeuse. N'hésitez pas à ajouter un peu d'eau pour aider les lames à bien glisser, sauf si le tahini est déjà assez liquide.

2 Servez dans une assiette creuse avec un filet d'huile d'olive ou de sésame toasté, une pincée de cumin et quelques feuilles de persil ciselées. Vous pouvez conserver ce houmous 3 ou 4 jours au réfrigérateur.

Crème de cajou façon aïoli
Pour 1 saladier

🥣 2 h 🥄 15 min

★ 150 g de noix de cajou nature
★ 15 cl d'eau
★ 1 ou 2 gousses d'ail
★ 1 cuill. à café d'huile d'olive extra vierge
★ Sel marin, poivre du moulin

1 Faites tremper les noix de cajou dans un bol d'eau fraîche pendant 2 heures (sauf si votre blender est très puissant).

2 Versez dans un blender ou un robot les noix de cajou, l'eau, la gousse d'ail pelée, l'huile, une bonne pincée de sel et un peu de poivre fraîchement moulu.

3 Mixez jusqu'à obtenir une texture homogène crémeuse. La préparation se conserve 3 ou 4 jours au réfrigérateur.

VARIANTES

Vous pouvez personnaliser cette crème selon votre goût en y ajoutant d'autres saveurs : curry en poudre, feuilles de basilic, tomates séchées ou poivrons confits, levure nutritionnelle...

Les accompagnements

Chips maison *(voir p. 142)*

Crudités

🥄 5 min

★ Concombres
★ Carottes
★ Radis
★ Tiges de céleri
★ Feuilles de sucrine...

Découpez le concombre, les carottes et le céleri en bâtonnets. Présentez le tout avec les radis entiers et les feuilles de sucrine, qui serviront à prélever les tartinades.

Socca express

Pour 1 socca

🥄 5 min 🍲 30 min 🍳 5 min

★ 1 verre de farine de pois chiche
★ 2 cuill. à soupe d'huile d'olive
★ ½ cuill. à café de sel marin
★ 1 grosse pincée de cumin en poudre
★ 1 verre d'eau tiède

1 Dans un saladier, versez la farine, l'huile, le sel et le cumin Ajoutez l'eau petit à petit, en mélangeant bien, afin d'obtenir une pâte homogène assez fluide. Laissez reposer au moins 30 minutes.

2 Faites chauffer un peu d'huile dans une poêle, à feu moyen, et versez-y la pâte, pour cuire la socca comme une crêpe plus ou moins épaisse, pendant 2 ou 3 minutes.

3 Quand la socca commence à s'affermir, retournez-la pour cuire l'autre côté quelques minutes supplémentaires.

4 Lorsqu'elle est cuite et dorée, découpez-la en parts et servez-la avec la tartinade de votre choix.

Toasts à la catalane

🥄 10 min

★ Pain artisanal ou maison
★ 1 gousse d'ail pelée
★ ½ tomate par tranche de pain
★ Huile d'olive
★ Fleur de sel, poivre du moulin

1 Découpez quelques tranches de pain et mettez-les à griller.

2 Frottez sur chaque tranche grillée la gousse d'ail, puis une demi-tomate (laissez la pulpe se déposer sur le toast). Terminez par un filet d'huile d'olive, une pincée de fleur de sel et un peu de poivre fraîchement moulu.

Rouleaux frais

LES ROULEAUX DE CRUDITÉS À L'ASIATIQUE CHANGENT DE LA SIMPLE SALADE TOUT EN RESTANT LÉGERS ET RAFRAÎCHISSANTS. CONTRAIREMENT À CE QUE L'ON CROIT, ILS NE SONT PAS TRÈS LONGS À PRÉPARER, SURTOUT UNE FOIS QUE VOUS AVEZ LE COUP DE MAIN! EN VOICI DEUX VERSIONS, AVEC DES IDÉES DE SAUCES MAISON, QUE VOUS POURREZ PERSONNALISER SELON VOS GOÛTS ET LA SAISON.

Le + Santé
du nori

Cette algue très présente dans la cuisine traditionnelle japonaise (c'est avec elle que l'on enveloppe les makis) est extrêmement pauvre en calories (7 calories pour 1 feuille!), mais très riche en vitamines, en particulier A (antioxydante), C et K, mais aussi B2 et B9.

Wraps de Nori

VOUS NE VOULEZ PAS PERDRE DE TEMPS À RÉHYDRATER DES FEUILLES DE RIZ? LES WRAPS ENTOURÉS DE NORI (L'ALGUE UTILISÉE POUR CONTENIR LES MAKIS) SONT FAITS POUR VOUS : IL SUFFIT D'Y DÉPOSER LES INGRÉDIENTS ET DE LES ROULER. JE VOUS CONSEILLE NÉANMOINS DE RÉSERVER CETTE RECETTE À UNE DÉGUSTATION IMMÉDIATE : AVEC LE TEMPS, L'ALGUE S'HUMIDIFIE ET DEVIENT PLUS ÉLASTIQUE. C'EST BON QUAND MÊME, MAIS UN PEU MOINS AGRÉABLE À CROQUER !

Pour 4 rouleaux

🥄 20 min

- ★ 50 g de vermicelles de riz
- ★ 2 œufs bio
- ★ 3 cuillerées à soupe de lait végétal
- ★ 1 carotte
- ★ 1 petit concombre
- ★ 1 avocat
- ★ 4 feuilles de nori séchées
- ★ Quelques feuilles de laitue
- ★ 1 petite poignée de graines germées
- ★ 2 ou 3 branches de menthe
- ★ 2 ou 3 branches de coriandre
- ★ Quelques graines de sésame

1 Faites cuire les vermicelles selon les indications du paquet, puis réservez-les dans un bol d'eau froide.

2 Dans un autre bol, battez les œufs avec le lait. Mettez un peu d'huile à chauffer dans une poêle et faites-les cuire comme une omelette.

3 Découpez l'omelette obtenue en lanières ou en petits morceaux et réservez.

4 Épluchez la carotte, épépinez le concombre, puis découpez-les en bâtonnets. Ouvrez l'avocat et découpez-le en tranches.

5 Sur une surface propre, étalez une feuille de nori. Déposez sur un côté quelques morceaux de laitue, des morceaux d'avocat, 2 ou 3 bâtonnets de carotte, 2 ou 3 bâtonnets de concombre, quelques vermicelles bien égouttés dans du papier absorbant, 1 bonne pincée de graines germées, 2 ou 3 morceaux d'omelette, quelques feuilles de menthe et de coriandre, et saupoudrez d'une bonne pincée de graines de sésame.

6 Roulez le tout en serrant bien. Lorsque le rouleau est constitué, scellez la feuille de nori en passant un doigt préalablement trempé dans l'eau le long de l'extrémité, puis en pressant légèrement contre la table pour qu'elle se colle.

7 Renouvelez l'opération pour tous les autres wraps. Dégustez sans attendre en trempant les rouleaux dans la sauce de votre choix.

ASTUCE GAIN DE TEMPS

Pour aller plus vite, n'hésitez pas à remplacer l'omelette par des lanières de tofu fumé, comme dans les rouleaux de printemps.

Apéritif & entrées

69

Rouleaux de printemps

AUX BEAUX JOURS, LES ROULEAUX DE PRINTEMPS COMPTENT PARMI MES REPAS PRÉFÉRÉS,
NOTAMMENT À EMPORTER. VOUS POUVEZ LES PRÉPARER LA VEILLE AU SOIR POUR ÊTRE PLUS TRANQUILLE.
PERSONNALISEZ-LES SELON VOS ENVIES ET NE VOUS INQUIÉTEZ PAS TROP DE LEUR APPARENCE
SI VOUS N'AVEZ PAS LE TEMPS DE VOUS APPLIQUER : SI TOUT TIENT À L'INTÉRIEUR, C'EST GAGNÉ !

Pour 8 rouleaux

- ★ 100 g de vermicelles de riz
- ★ 8 feuilles de sucrine
- ★ 1 bouquet de menthe fraîche
- ★ 200 g de germes de soja frais
- ★ 1 carotte
- ★ 8 galettes de riz de 22 cm de diamètre
- ★ 150 g de tofu fumé
- ★ Sauce sweet chili

30 min

1 Faites cuire les vermicelles selon les instructions du paquet, puis réservez-les dans un bol d'eau froide.

2 Pendant ce temps, lavez et effeuillez la salade, la menthe et les germes de soja, et découpez des lanières de carotte avec un économe.

3 Formez les rouleaux. Humidifiez une galette de riz en la plongeant quelques secondes dans l'eau froide (ou en suivant les instructions du paquet) et étalez-la sur un linge propre. Disposez sur la partie gauche une part de vermicelles égouttés, une feuille de salade, une part de soja, quelques morceaux de tofu, quelques lanières de carotte et quelques feuilles de menthe. Ajoutez un peu de sauce sweet chili, salez et poivrez. Repliez les bords supérieur et inférieur de la galette, puis roulez-la sur elle-même vers la droite. Répétez le processus pour les 7 autres rouleaux.

4 Consommez ces rouleaux immédiatement, trempés dans la sauce de votre choix, ou conservez-les 2 ou 3 jours au réfrigérateur.

ASTUCE ANTIGASPILLAGE

Si vous avez des restes de salade, d'herbes et de vermicelles de riz, ce sera l'occasion de vous faire un super bò bún (voir p. 110) !

ASTUCE

Pour éviter d'utiliser un film plastique, vous pouvez huiler légèrement l'extérieur de chaque rouleau pour qu'ils ne collent pas entre eux, puis les stocker ensemble dans une boîte de conservation.

De la fraîcheur et une explosion
de saveurs à chaque bouchée : les rouleaux
de printemps valent bien le temps
consacré à leur préparation !

Bouillons, soupes & veloutés

LES SOUPES LÉGÈRES ET LES BOUILLONS SONT PARFAITS POUR LES REPAS DU SOIR, ACCOMPAGNÉS SI BESOIN D'UN PEU DE RIZ OU DE QUELQUES TRANCHES DE PAIN. TOUT EN RÉHYDRATANT L'ORGANISME APRÈS UNE LONGUE JOURNÉE, ILS ÉVITENT LES LOURDEURS D'ESTOMAC ET GARANTISSENT UNE BONNE NUIT DE SOMMEIL. ILS SONT AUSSI UNE PARFAITE OPTION POUR LAISSER LE SYSTÈME DIGESTIF SE REPOSER APRÈS QUELQUES JOURNÉES D'EXCÈS !

EN HIVER, LE RÉCONFORT DES VELOUTÉS BIEN CRÉMEUX EST LE BIENVENU. SIMPLES À PRÉPARER, ILS SONT SAINS ET TRÈS DIGESTES. AU LIEU DES TRADITIONNELLES POMMES DE TERRE, J'Y METS DES COURGES ET TUBERCULES À LA TEXTURE CHARNUE, OU DIFFÉRENTS LAITS VÉGÉTAUX. JE LES ACCOMPAGNE DE TARTINES DE FROMAGE OU DE HOUMOUS SUR DU PAIN COMPLET, ET LE TOUR EST JOUÉ !

Bouillon de légumes

Bourrés de sel, d'exhausteurs de goût et autres additifs peu recommandables, les bouillons industriels sont à fuir. Pour éviter les pires compositions, choisissez plutôt des marques bio et vérifiez la liste d'ingrédients ! Vous pouvez aussi concocter un bouillon maison : il suffit de quelques légumes peu onéreux et de 10 minutes de préparation.

Pour environ 1,5 à 2 litres de bouillon

🥄 10 min 🍲 1 h

* ★ 3 litres d'eau
* ★ 1 kg de légumes (carottes, navets, poireau, céleri, courgette...)
* ★ 2 oignons
* ★ 2 ou 3 feuilles de laurier
* ★ Sel marin, poivre du moulin

1 Mettez l'eau à bouillir dans une grande casserole. Lavez et découpez les légumes en morceaux grossiers, puis plongez-les dans l'eau bouillante, avec les feuilles de laurier. Salez, poivrez. Laissez mijoter à feu doux 1 heure à découvert.

2 Filtrez le bouillon et conservez-le dans une bouteille en verre au réfrigérateur. Vous pouvez aussi mixer le mélange pour obtenir une soupe, en veillant à retirer les feuilles de laurier au préalable.

3 Le bouillon se conserve quelques jours au maximum dans un récipient hermétique au réfrigérateur. Vous pouvez le congeler pour l'utiliser ultérieurement dans vos soupes.

ASTUCE ANTIGASPILLAGE

Si vous filtrez le bouillon, recueillez les légumes pour agrémenter un couscous ou votre prochain repas.

Velouté de potimarron et châtaigne

Pour 2 personnes

🥄 10 min 🍲 20-25 min

* ★ 1 petit potimarron
* ★ 400 g de châtaignes cuites (sous vide, en bocal ou surgelées)
* ★ 1 cube de bouillon de légumes ou 1 cuill. à soupe de bouillon déshydraté en poudre
* ★ 3 ou 4 cuill. à soupe de yaourt nature (soja ou autre)
* ★ Sel, poivre

1 Frottez le potimarron pour enlever les éventuels résidus, lavez-le, puis retirez les graines et découpez la chair en petits morceaux. Vous pouvez laisser l'écorce.

2 Dans une casserole, versez les morceaux de potimarron, les châtaignes et le cube de bouillon, puis ajoutez juste assez d'eau pour recouvrir le tout. Couvrez, portez à ébullition, puis laissez mijoter 15 à 20 minutes. Lorsque les morceaux de potimarron sont tendres, ajoutez le yaourt hors du feu. Salez, poivrez.

3 Mixez l'aide d'un mixeur plongeant ou dans un blender, en ajustant légèrement la quantité d'eau si besoin, selon la texture désirée.

Velouté de butternut et patate douce

Pour 2 personnes

🥄 20-30 min 🍲 15 min

* ★ ½ courge butternut moyenne
* ★ 1 petite patate douce
* ★ ½ oignon
* ★ 1 gousse d'ail
* ★ 1 cuill. à café de cumin en poudre
* ★ 1 cuill. à café de cannelle en poudre
* ★ 1 cuill. à café de curry en poudre
* ★ 2 cuill. à soupe d'huile d'olive
* ★ Sel, poivre

1 Pelez la courge butternut et la patate douce, l'oignon et l'ail, et découpez-les en petits morceaux.

2 Dans une casserole, faites revenir l'oignon et l'ail dans un peu d'huile d'olive avec les épices pendant quelques minutes. Ajoutez les morceaux de butternut et de patate douce, puis de l'eau sans recouvrir totalement les légumes. Portez à ébullition, couvrez et laissez mijoter environ 10 minutes.

3 Mixez le tout dans un blender ou avec un mixeur plongeant, en ajustant légèrement la quantité d'eau si la texture vous semble trop épaisse.

Apéritif & entrées

Soupe thaï

VOUS RÊVEZ D'UN REPAS LÉGER, MAIS SAVOUREUX ET FACILE À PRÉPARER ?
CETTE SOUPE DEVRAIT VOUS PLAIRE. J'Y AI CONCENTRÉ DES SAVEURS THAÏLANDAISES
MERVEILLEUSEMENT COMPLÉMENTAIRES : LA RICHESSE DU LAIT DE COCO, LA PUISSANCE
DES ÉPICES, LA TOUCHE ACIDE DE LA CITRONNELLE ET DU CITRON VERT...
UN VRAI DÉLICE, ET UNE GARANTIE DE SUCCÈS AUPRÈS DE VOS CONVIVES !

Apérit if & entrées

Pour 4 personnes

- ★ 150 g de vermicelles de riz
- ★ 75 cl d'eau
- ★ 1 cube ou 1 cuill. à soupe de poudre de bouillon de légumes
- ★ 1 petit oignon
- ★ 1 petit morceau de gingembre râpé
- ★ 2 cuill. à soupe d'huile d'olive
- ★ 1 cuill. à café ou 1 cuill. à soupe de pâte de curry rouge thaï
- ★ 30 cl de lait ou de crème de coco
- ★ 1 branche de citronnelle finement hachée
- ★ Sel, poivre
- ★ 1 petit bouquet de coriandre fraîche
- ★ 2 citrons verts

⏱ 10 min 🍲 15 min

1 Faites cuire les vermicelles 1 ou 2 minutes dans une casserole d'eau bouillante. Égouttez-les, passez-les sous un peu d'eau froide et réservez.

2 Faites chauffer l'eau dans une casserole. Diluez-y le cube de bouillon, puis réservez.

3 Dans une autre casserole, faites revenir l'oignon émincé et le gingembre râpé dans un peu d'huile d'olive, jusqu'à ce qu'ils commencent à dorer légèrement. Ajoutez la pâte de curry, mélangez, puis déglacez avec le bouillon de légumes. Ajoutez la crème de coco, les morceaux de citronnelle, salez, poivrez et mélangez bien. Laissez mijoter environ 5 minutes.

4 Au moment de servir, versez une portion de vermicelles dans chaque bol, puis un peu de soupe. Parsemez de coriandre fraîche et pressez ½ citron vert dans chaque bol.

ATTENTION, ÇA PIQUE !

La pâte de curry est extrêmement épicée et doit être bien dosée ; avec 1 cuillerée à soupe, la soupe est modérément piquante. Si vous en avez mis trop, vous pouvez sauver votre préparation en ajoutant davantage de crème de coco, qui adoucira le goût.

Le + Santé
du gingembre

Le gingembre améliore les fonctions digestives et il semblerait qu'il ait des propriétés brûle-graisses. Il possède aussi des vertus anti-inflammatoires.

La soupe thaï est l'une de mes recettes favorites, pour toutes ses saveurs qui s'accordent merveilleusement entre elles.

Soupe miso

LA SOUPE MISO EST L'UN DE MES PETITS PLAISIRS AU RESTAURANT JAPONAIS : QUOI DE PLUS RÉCONFORTANT ET DIGESTE POUR COMMENCER LE REPAS? IL EST TRÈS SIMPLE DE LA PRÉPARER À LA MAISON, MAIS PRÉVOYEZ D'EFFECTUER LA PREMIÈRE ÉTAPE À L'AVANCE. SI VOUS AIMEZ LE GINGEMBRE, N'HÉSITEZ PAS À EN AJOUTER UNE PETITE TRANCHE RÂPÉE, POUR UN SUPPLÉMENT DE SAVEUR.

Pour 4 personnes

⏱ 15 min   🍲 10 h   🍲 5 min

- ★ 20 g d'algue kombu déshydratée
- ★ 1 litre d'eau
- ★ 5 g d'algue wakame déshydratée
- ★ 300 g de tofu ferme
- ★ 2 cuillerées à soupe de pâte de miso blanc *(shiro miso)*

1 La veille, ou au moins 10 h avant, frottez délicatement l'algue kombu avec un linge humide pour en éliminer l'excès de sel. Remplissez un grand récipient avec 1 litre d'eau, ajoutez-y l'algue et laissez infuser toute la nuit au réfrigérateur.

2 Égouttez la kombu et conservez le liquide (le *dashi*) qui résulte de l'infusion. Lancez-vous alors dans l'étape suivante ou réservez au réfrigérateur en attendant.

3 Versez les algues wakame dans un bol d'eau fraîche pour les réhydrater. Pendant ce temps, découpez le tofu en dés et mettez-les dans une casserole avec le *dashi*. Faites chauffer quelques minutes à feu doux, sans atteindre l'ébullition. Coupez le feu avant de servir.

4 Puis ajoutez les algues wakame égouttées et la pâte de miso préalablement diluée dans un peu d'eau.

Consommez-en régulièrement, mais sans excès, car il contient beaucoup de sel !

Le + Santé
de la pâte de miso

Comme d'autres aliments fermentés, le miso est une excellente source d'enzymes digestifs et de lactobacillus. Cette bonne bactérie, en tant que probiotique, favorise l'équilibre de notre flore intestinale. C'est pour préserver ces atouts santé que le miso est ajouté en toute fin de cuisson, ou juste avant de servir.

Crème de champignons

VOUS N'AIMEZ PAS LE LAIT DE SOJA? PAS DE PANIQUE,
IL NE SE SENT ABSOLUMENT PAS DANS CETTE RECETTE !

Pour 2 personnes

🥄 10 min 🫕 15 min

- ★ 1 gousse d'ail
- ★ 1 échalote
- ★ 250 g de champignons
- ★ Huile d'olive
- ★ 1 cuill. à soupe de farine
- ★ Sel, poivre
- ★ 30 cl de lait de soja nature sans sucre ajouté
- ★ 2 cuill. à soupe de crème de soja
- ★ ¼ de cube de bouillon de légumes ou ½ cuill. à café de bouillon en poudre
- ★ Persil frais

1 Hachez l'ail et l'échalote. Nettoyez les champignons et découpez-les en lamelles.

2 Faites chauffer un peu d'huile d'olive dans une poêle et versez dedans l'ail, l'échalote et les champignons. Salez, poivrez, et faites revenir pendant environ 10 minutes à feu moyen, en remuant régulièrement.

3 Pendant ce temps, versez la farine avec 1 cuillerée à soupe d'huile dans une petite casserole. Versez petit à petit le lait de soja, ajoutez la crème ; émiettez et le cube de bouillon en mélangeant bien, et portez à ébullition en remuant à l'aide d'un fouet.

4 Laissez mijoter un petit instant pour que le liquide épaississe.

5 Dans un blender, mixez les champignons avec le contenu de la casserole, de manière à obtenir une crème homogène. Ajustez la texture si besoin en ajoutant un peu d'eau. Servez avec une petite branche de persil.

IDÉES DE TOPPINGS

Ajoutez une touche de gourmandise et de texture en saupoudrant les bols de quelques toppings : graines germées, herbes aromatiques, pignons de pin ou graines de tournesol grillés à la poêle, éclats de noisettes, tofu fumé ou tempeh fumé caramélisé (voir recette p. 129), pois chiches rôtis aux épices (voir recette p. 146)...

Le + Santé
des champignons

Les champignons sont à la fois rassasiants et particulièrement légers en calories. Très riches en vitamines du groupe B et minéraux, ils participent également à l'équilibre du système nerveux et à la santé cardiovasculaire.

Apéritif & entrées

77

Un velouté et quelques tranches de bon
pain pour un repas léger et réconfortant.

Velouté de carotte au lait de coco

LA SAVEUR LÉGÈREMENT SUCRÉE DES CAROTTES S'ACCORDE À MERVEILLE AVEC LE CRÉMEUX DU LAIT DE COCO. CE VELOUTÉ EST UN ÉQUILIBRE PARFAIT ENTRE DOUCEUR ET EXOTISME !

Pour 2 personnes

⏱ 15 min 🍲 25 min

* ★ 1 botte de carottes
* ★ 1 gousse d'ail
* ★ 1 petit oignon
* ★ 1 morceau de gingembre
* ★ 1 cuill. à soupe d'huile d'olive
* ★ 1 cuill. à soupe de curry en poudre
* ★ 30 cl de lait de coco
* ★ 30 cl d'eau
* ★ Coriandre fraîche
* ★ Sel, poivre

1 Épluchez les carottes, l'ail, l'oignon et le morceau de gingembre. Hachez ces trois derniers et découpez les carottes en grosses rondelles.

2 Dans une casserole, à feu doux, mettez à chauffer un peu d'huile d'olive, puis les condiments hachés, et faites revenir pendant 2 minutes en remuant bien.

3 Ajoutez le curry et laissez dorer quelques instants. Versez les carottes dans la casserole, puis le lait de coco et l'eau. Portez à ébullition, couvrez, et laissez mijoter environ 20 minutes.

4 Mixez le tout dans un blender ou avec un mixeur plongeant, en ajustant légèrement la quantité d'eau si besoin. Servez avec quelques feuilles de coriandre.

VARIANTES

Pour varier les couleurs et les nutriments, pensez aux différentes sortes de carottes, et aux variétés oubliées : jaune, rouge ou violette ! Plus la couleur est foncée, plus leurs propriétés nutritives sont intéressantes.

ASTUCE GAIN DE TEMPS

N'hésitez pas à préparer les veloutés en grande quantité. Vous pourrez conserver les restes au congélateur, pour un repas express à réchauffer au micro-ondes ou à la casserole lors d'une prochaine journée chargée.

Apéritif & entrées

79

Soupes froides estivales

QUAND IL FAIT CHAUD ET QU'ON N'A PAS ENVIE DE PASSER TROP DE TEMPS AUX FOURNEAUX, LES SOUPES FROIDES SONT UNE PARFAITE ALTERNATIVE AUX SALADES ! RAPIDES À PRÉPARER, VITAMINÉES, RAFRAÎCHISSANTES ET HYDRATANTES, ELLES SONT AUSSI L'OCCASION DE PROFITER DES LÉGUMES DE SAISON. ACCOMPAGNEZ-LES DE TARTINES DE HOUMOUS OU DE FROMAGE POUR UN REPAS COMPLET.

ASTUCE SANTÉ

Lorsque les soupes froides ne comportent pas d'étape de cuisson, les ingrédients devront être soigneusement choisis : retirez toute partie abîmée ou suspecte, et sélectionnez des légumes bien frais.

Soupe glacée façon raïta

Le raïta est une sauce typique de la cuisine indienne et pakistanaise que mon père nous préparait parfois quand nous étions petits. C'est ce qui m'a inspiré cette soupe ! Bien relevée par une touche de cumin, elle plaira aux palais délicats pour sa douceur et sa fraîcheur.

Pour 4 personnes

5 min

★ 1 concombre bio
★ 1 petite gousse d'ail
★ 2 yaourts nature type bulgare
★ 4 ou 5 branches de menthe fraîche
★ 1 grosse pincée de cumin en poudre
★ Sel marin, poivre du moulin

Découpez le concombre et retirez ses graines ; épluchez l'ail, puis mixez-le avec tous les ingrédients dans un mixeur. Conservez au réfrigérateur jusqu'au moment de servir. Dégustez très frais.

VARIANTE SANS LACTOSE

Si vous souhaitez utiliser du yaourt de soja nature, choisissez-le sans sucres cachés, et n'hésitez pas à ajouter un filet de citron pressé pour reproduire l'acidité recherchée dans cette recette.

Gaspacho ultra léger

CETTE RECETTE M'A ÉTÉ CONFIÉE PAR LE CUISINIER D'UN RESTAURANT BARCELONAIS RÉPUTÉ. SA GRANDE LÉGÈRETÉ, SA FRAÎCHEUR ET SON ÉTONNANTE TOUCHE DE FRUIT EN FONT UNE RÉUSSITE À COUP SÛR. UN VRAI DÉLICE VITAMINÉ, À CONSOMMER SANS MODÉRATION, OU PRESQUE !

Pour 4 personnes

- ★ 250 g d'oignons blancs
- ★ 75 g d'ail
- ★ 200 g de poivrons rouges
- ★ 2,5 kg de tomates bien mûres
- ★ 1 concombre
- ★ 1 petite pêche jaune
- ★ 1 litre d'eau
- ★ Sel marin, poivre fraîchement moulu
- ★ 1 filet de vinaigre de Xérès

20 min

1 Pelez les oignons et l'ail ; retirez autant que possible la peau du poivron et des tomates. Ouvrez et retirez les graines du concombre. Découpez les légumes en dés ; pelez et découpez la pêche.

2 Versez les ingrédients dans un grand saladier et homogénéisez avec un mixeur plongeant, ou passez au blender. Salez, poivrez et assaisonnez d'un filet de vinaigre de Xérès. Servez avec quelques morceaux de crackers ou de croûtons et un filet d'huile d'olive parfumée.

CONSERVATION

Vous pouvez conserver ce gaspacho 3 ou 4 jours au réfrigérateur, ou en congeler une partie. Pour le décongeler, laissez-le au réfrigérateur pendant une nuit, puis repassez-le au blender si besoin avant de servir.

Le + Santé

Mieux digérer l'ail et l'oignon

Pour une version plus digeste, blanchissez à deux ou trois reprises l'ail et l'oignon avant de les intégrer au mélange. Pour cela, placez-les dans une casserole d'eau froide et portez à ébullition plusieurs fois de suite, en changeant l'eau à chaque fois.

Velouté de courgettes au basilic

Ce velouté à la fois onctueux et léger doit sa consistance au moelleux naturel des courgettes et à une touche de noix de cajou qui remplace la crème au lait de vache.

Pour 4 personnes

15 min · 10 min · 30 min

★ 1 litre d'eau
★ 1 cube de bouillon de légumes
★ 3 ou 4 courgettes
★ 1 gousse d'ail
★ 1 poignée de noix de cajou
★ 10 belles feuilles de basilic
★ ½ citron pressé
★ Huile d'olive
★ Sel marin, poivre du moulin

1 Dans une casserole, portez l'eau à ébullition. Versez-y le cube de bouillon et les courgettes coupées en rondelles et laissez mijoter environ 10 min, jusqu'à ce que les morceaux soient tendres.

2 Dans un blender, versez les courgettes cuites et la moitié (ou plus) du bouillon de cuisson. Ajoutez l'ail, les noix de cajou, le basilic fraîchement coupé, le citron pressé, un trait d'huile d'olive, du sel et du poivre. Mixez jusqu'à obtention une texture crémeuse homogène.

3 Laissez refroidir au moins 30 minutes au réfrigérateur, puis servez.

◆━━━━◆━━━━◆

VARIANTES

Vous pouvez remplacer les noix de cajou par quelques cuillerées à soupe de crème de soja liquide ou quelques dés de feta pour un goût plus prononcé.

Gaspacho vert

Voilà un gaspacho 100 % vert, parfait pour faire le plein de chlorophylle !

Pour 2-3 personnes

10 min

★ 1 avocat
★ 1 petit morceau de poivron vert
★ 300 g de concombre bio
★ 1 petite poignée de feuilles de coriandre fraîche
★ ½ tranche d'oignon
★ 1 gousse d'ail
★ 4 cuill. à soupe de vinaigre
★ 3 cuill. à soupe de sauce soja
★ 1 citron vert pressé
★ Quelques gouttes de sauce chili piquante (facultatif)
★ Sel marin, poivre du moulin

1 Pelez l'avocat, épluchez le poivron, découpez le concombre et retirez ses graines.

2 Déposez les légumes et les autres ingrédients dans un blender et mixez jusqu'à obtention d'un liquide crémeux et homogène. Servez dans des bols avec 1 cuillerée à soupe de pico de gallo (voir p. 65).

Le + Santé
Mieux digérer le concombre

Nombreuses sont les personnes qui digèrent mal le concombre. Retirer ses graines est une manière de le rendre beaucoup plus digeste. Mais il est important de lui laisser sa peau, où se loge l'immense majorité de ses antioxydants – à condition de le choisir bio, bien sûr !

Pour changer du gaspacho
classique aux tomates,
essayez le gaspacho vert !

Mes salades pour toute l'année

PERSONNALISABLES À L'INFINI, LES SALADES CONSTITUENT UNE MANIÈRE PRATIQUE ET RAPIDE DE FAIRE LE PLEIN DE VITAMINES ET DE FIBRES, TOUT EN PROFITANT DES PRODUITS DE SAISON. QUOI DE MIEUX POUR MANGER SAINEMENT TOUT AU LONG DE L'ANNÉE, MÊME QUAND ON N'A PAS LE TEMPS DE CUISINER ?

VOICI QUELQUES-UNS DE MES MÉLANGES PRÉFÉRÉS. DÉGUSTEZ CES SALADES EN ENTRÉE AVANT UN PLAT LÉGER, OU SIMPLEMENT ACCOMPAGNÉES DE QUELQUES TARTINES POUR UN REPAS COMPLET.

Comment composer une salade complète ?

Vous voulez faire de votre salade un repas complet, parfaitement rassasiant ? Il suffira d'y rassembler une belle portion de légumes, mais aussi des représentants des autres groupes alimentaires (glucides complexes et protéines).

Voici quelques exemples de ce que vous devriez y inclure :

🍴 **Une base de feuilles vertes, à volonté :** roquette, mâche, épinards, laitue, mesclun, sucrine…

🍴 **Des légumes de saison crus ou cuits, à volonté :** légumes-racines, courges et même champignons en automne-hiver, jeunes légumes verts, légumes du soleil ou crudités au printemps-été…

🍴 **Une portion de céréales cuites** (riz basmati ou complet, quinoa, épeautre, semoule, boulgour, dés de polenta, petites pâtes, orge…) ou autres féculents (pommes de terre, patates douces).

🍴 **Une portion de légumineuses cuites** (pois chiches, lentilles corail, haricots blancs ou noirs, edamame…), ou de dérivés de soja

(tofu aromatisé ou mariné, tofu fumé ou tempeh fumé poêlés avec un peu de sauce…), ou quelques morceaux de fromage, ou encore deux œufs cuits.

🍴 **1 pincée généreuse de graines** (sésame, tournesol, lin, courge…) et/ou de graines germées (soja, alfalfa, radis…).

🍴 **FACULTATIF :** autres toppings du placard (olives, tomates séchées, ou autres antipasti, fruits secs…)

🍴 1 ou 2 cuillerées à soupe d'**assaisonnement**.

ASTUCE GAIN DE TEMPS

Une telle salade peut se préparer très rapidement si vous avez toujours des conserves de légumineuses au placard, du tofu mariné et des céréales cuites dans le réfrigérateur (voir conseils p. 32). Si vous avez plus de temps, vous pouvez faire rôtir certaines légumineuses, comme les pois chiches et les haricots, pour une texture plus croustillante.

Salade pastèque, concombre et feta

VOICI MA SALADE PRÉFÉRÉE POUR L'ÉTÉ ! L'OPPOSITION ENTRE CES VÉGÉTAUX AQUEUX ET LA FETA EST PARFAITE, À LA FOIS RÉHYDRATANTE ET GOURMANDE. J'APPRÉCIE AUSSI LE CONTRASTE SUCRÉ-SALÉ ET LA TOUCHE RAFRAÎCHISSANTE DE LA MENTHE.

Pour 2 personnes

★ 150 à 200 g de chair de pastèque

★ 150 g de concombre

★ 150 g de feta

★ 6 à 8 feuilles de menthe fraîche

★ Roquette

Pour la vinaigrette

★ 2 cuill. à soupe d'huile d'olive

★ 1 citron vert

★ Sel marin, poivre du moulin

Salade d'été · 10 min

1 Découpez la pastèque, le concombre et la feta en dés. Ciselez les feuilles de menthe.

2 Disposez dans chaque assiette une poignée de roquette, de la pastèque, du concombre, de la feta, et parsemez de menthe.

3 Mélangez l'huile, le jus du citron vert, et un peu de sel et de poivre dans un petit bol, puis assaisonnez-en les deux salades avant de servir.

Le + Santé
de la pastèque et du concombre

Le concombre est le légume qui contient le plus d'eau ; celle-ci constitue 97 % de son poids ! La pastèque est championne parmi les fruits, avec 95 %. Très hydratants, pauvres en sucres et en calories, ce sont nos meilleurs amis sous le soleil !

Salade aux asperges, fèves et radis

AVEC LE RETOUR DES FLEURS ET L'ALLONGEMENT DES JOURS, RIEN NE ME RÉJOUIT DAVANTAGE AU PRINTEMPS QUE L'ARRIVÉE DE JEUNES LÉGUMES VERTS SUR LES ÉTALS ! CETTE SALADE LES MET À L'HONNEUR EN TOUTE SIMPLICITÉ, AVEC UN ASSAISONNEMENT AU LÉGER GOÛT DE SÉSAME.

Pour 2 personnes

★ 150 à 200 g de jeunes asperges vertes

★ 100 g de fèves surgelées

★ Quelques radis

★ 1 petite échalote

★ Mesclun ou jeunes pousses d'épinards

★ Graines de sésame

Pour la vinaigrette

★ 3 cuill. à soupe d'huile de sésame

★ 2 cuill. à soupe de vinaigre de cidre ou de jus de citron

★ 1 cuill. à soupe de moutarde

★ Sel marin, poivre du moulin

Salade de printemps 🥄 15 min 🍲 6-8 min

1 Faites chauffer de l'eau dans une grande casserole. Lavez les asperges et cassez la partie dure de leur tige. Quand l'eau bout, versez les asperges et les fèves surgelées dans l'eau et laissez cuire environ 6 à 8 minutes.

2 Pendant ce temps, découpez quelques tranches de radis et d'échalote.

3 Quand les fèves et les asperges sont prêtes, égouttez-les et passez-les sous l'eau froide. Découpez les asperges en tronçons (sauf la pointe, que l'on maintient entière), et pelez les fèves si besoin.

4 Préparez la vinaigrette en mélangeant l'huile, le vinaigre, la moutarde et un peu de sel et de poivre dans un petit bol.

5 Disposez sur chaque assiette une poignée de jeunes pousses, des asperges, des fèves, des tranches de radis et d'échalote, puis saupoudrez de graines de sésame. Assaisonnez avec la vinaigrette, et servez.

ASTUCE
J'aime relever cette salade en la parsemant de copeaux de parmesan ou de zestes d'orange bio.

Le + Santé

des asperges

Composée à 92 % d'eau, pauvre en calories, l'asperge est l'alliée détox parfaite de la mi-saison grâce à ses propriétés diurétiques naturelles. Sa consommation est fortement recommandée aux femmes enceintes en raison de sa forte teneur en acide folique.

Salade de kale, chèvre et cranberries

LA SALADE DE CHOU KALE CRU EST ASSEZ LUDIQUE À RÉALISER, PUISQU'ELLE INCLUT UN SYMPATHIQUE MASSAGE ! MALAXER CE CHOU EST EN EFFET UNE ÉTAPE INDISPENSABLE POUR ATTENDRIR SES FEUILLES UN PEU CORIACES. J'AIME ASSOCIER SON GOÛT LÉGÈREMENT SOUFRÉ À DES SAVEURS D'AUTOMNE-HIVER : NOIX, FRUITS SECS, AGRUMES, ET CHÈVRE BIEN AFFINÉ !

Pour 2 personnes

★ 4 ou 5 feuilles de kale ou 50 g de baby kale

★ 100 g de fromage de chèvre

★ 30 à 40 g d'amandes entières ou effilées

★ 15 g de cranberries séchées

★ 1 petite échalote

Pour la vinaigrette

★ 2 cuill. à soupe d'huile de pépins de courge

★ 2 cuill. à soupe de jus d'orange

★ 1 cuill. à café de vinaigre de cidre ou de jus de citron

★ Sel marin, poivre du moulin

Salade d'automne ♪ 10 min

1 Retirez les tiges du kale. Nettoyez les feuilles sous l'eau, puis essorez-les et déposez-les dans un saladier.

2 Dans un bol, mélangez l'huile et le jus d'orange avec un peu de sel et de poivre. Versez-les sur le kale, puis malaxez les feuilles quelques minutes dans l'assaisonnement, jusqu'à ce qu'elles perdent en volume et en rigidité.

3 Émincez l'échalote, hachez les amandes et émiettez le fromage de chèvre, puis ajoutez-les avec les cranberries dans le saladier. Mélangez à nouveau et servez.

ASTUCE GAIN DE TEMPS

Vous pouvez opter pour du baby kale, qui n'a pas besoin d'être malaxé.

Salade tiède d'aubergine, halloumi et shiitake

CETTE SALADE EST PLUS LONGUE À PRÉPARER, ET PAS TRÈS «RÉGIME», MAIS C'EST UN VRAI DÉLICE. MÉLANGE DE SAVEURS PUISSANTES ET DOUCES, DE TEXTURES FONDANTES, CHARNUES, ET PLUS VERTES, JE LA TROUVE IDÉALE POUR UN REPAS RÉCONFORTANT LE SOIR OU LE WEEK-END !

Pour 2 personnes

- ★ 1 aubergine moyenne
- ★ 150 g de champignons shiitake (ou autres)
- ★ 1 poignée de roquette
- ★ 150 g de halloumi
- ★ Quelques branches de persil plat
- ★ Quelques morceaux de tomates séchées (facultatif)

Pour la vinaigrette

- ★ 2 cuill. à soupe d'huile d'olive
- ★ 2 cuill. à soupe de jus de citron
- ★ 1 cuill. à soupe de tahini
- ★ 1 gousse d'ail
- ★ Sel marin, poivre du moulin

Salade d'automne 🥄 10 min 🍲 30 min

1 Préchauffez le four à 200 °C. Découpez l'aubergine en tranches de 0,5 à 1 cm d'épaisseur. Marquez quelques incisions au couteau dans la chair, badigeonnez-les d'un peu d'huile d'olive, et déposez-les sur une plaque recouverte de papier sulfurisé ou dans un plat à gratin. Laissez cuire environ 25 minutes.

2 Pendant ce temps, découpez les shiitake en morceaux. Mettez de l'huile à chauffer dans une poêle et faites revenir les champignons jusqu'à ce qu'ils soient bien fondants. Réservez.

3 Préparez la sauce en mélangeant l'huile, le citron pressé, le tahini et la gousse d'ail hachée.

4 Quand les aubergines sont cuites, profitez du four chaud pour faire griller le halloumi. Découpez-le en tranches et laissez-le dorer quelques minutes sur la plaque ou sur une grille.

5 Disposez dans chaque assiette une poignée de roquette, de l'aubergine, du fromage, des champignons, et éventuellement quelques morceaux de tomates séchées découpées. Assaisonnez avec un peu de sauce, salez et poivrez.

ASTUCE

En cours de cuisson, vous pouvez verser un peu d'eau au fond du plat ou sur la plaque contenant les aubergines pour apporter plus de moelleux.

Taboulés gourmands

LES TABOULÉS SONT LE REPAS SIMPLE, SAIN ET PRATIQUE PAR EXCELLENCE. ON PEUT LES PRÉPARER JUSQU'À DEUX OU TROIS JOURS À L'AVANCE, ET MÊME LES EMPORTER DANS UNE LUNCH-BOX OU EN PIQUE-NIQUE. ILS SONT 100 % PERSONNALISABLES : QU'IL S'AGISSE D'ACCOMMODER LES RESTES OU DE LAISSER LIBRE COURS À VOTRE IMAGINATION, TOUT EST PERMIS.

VOICI QUELQUES IDÉES DE TABOULÉS-REPAS MAISON, GOURMANDS ET ÉQUILIBRÉS, QUI CHANGENT UN PEU.

Des saveurs inspirées de différentes régions du monde pour un apéritif haut en couleurs !

La base

Choisissez une base parmi les options suivantes. Quand c'est possible, préférez les versions demi-complètes ou complètes, moins raffinées et plus rassasiantes !

- Semoule (blé, épeautre, maïs…)
- Quinoa rouge et/ou blanc
- Boulgour
- Petites pâtes perles

Pour 2 personnes, prévoyez environ 120 g de céréales. Cuisez-les selon les indications du paquet, puis laissez refroidir.

VARIANTE LÉGÈRE

Pour une version plus légère, remplacez la base céréalière par des bouquets de chou-fleur cru mixés au blender.

ASTUCE GAIN DE TEMPS

Pour gagner du temps sur la cuisson des légumes, pensez aux versions surgelées, souvent déjà blanchies.

LES TOPPINGS

Ajoutez à la base de votre choix les légumes, graines, aromates et protéines qui vous plaisent, ou inspirez-vous des idées suivantes.

Pour un meilleur goût, coupez tous les ingrédients en petits morceaux, par exemple en dés : les saveurs se mélangeront plus facilement à chaque bouchée, et le rendu visuel sera plus harmonieux.

Taboulé vert

Pour 2 personnes

- ★ 50 g de petits pois extra-fins cuits
- ★ 50 g de fèves extra-fines cuites
- ★ 50 g d'asperges vertes cuites
- ★ 50 g de concombre
- ★ 50 g de feta
- ★ 4 ou 5 radis
- ★ 2 cuill. à soupe de graines de tournesol grillées
- ★ 10 à 15 feuilles de menthe fraîche ciselées
- ★ Quelques feuilles de basilic frais ciselées
- ★ Sel, poivre du moulin

Pour la sauce

- ★ 2 ou 3 cuill. à soupe de vinaigrette classique (voir recette p. 96)
- ★ 1 ou 2 cuill. à soupe de jus d'orange

Taboulé à l'orientale

Pour 2 personnes

- ★ 1 grosse tomate
- ★ 100 g de pois chiches en conserve
- ★ 50 g d'olives noires dénoyautées
- ★ 50 g de poivrons rouges crus ou confits
- ★ 20 g de raisins secs
- ★ 2 cuill. à soupe de pignons de pin grillés
- ★ 4 ou 5 brins de persil frais, ciselés
- ★ Quelques feuilles de menthe fraîche ciselées
- ★ Sel, poivre du moulin

Pour la sauce

- ★ 2 cuill. à soupe d'huile d'olive
- ★ 1 ou 2 cuill. à soupe de citron pressé
- ★ 1 belle pincée de cumin en poudre

Taboulé exotique

Pour 2 personnes

- ★ 1 grosse tomate
- ★ 1 avocat mûr
- ★ 1 mangue
- ★ 100 g de haricots azuki en conserve
- ★ ½ oignon rouge
- ★ 4 ou 5 brins de coriandre fraîche, ciselés
- ★ 2 cuill. à soupe de graines de sésame grillées
- ★ Sel, poivre du moulin

Pour la sauce

- ★ 2 cuill. à soupe d'huile de sésame
- ★ 1 ou 2 cuill. à soupe de citron vert pressé

Taboulé d'automne

Pour 2 personnes

- ★ 100 g de courge butternut cuite
- ★ 50 g de champignons bruns
- ★ 50 g de fromage de chèvre frais
- ★ 50 g de tofu fumé
- ★ 3 cuill. à soupe de graines de grenade
- ★ 2 cuill. à soupe de noisettes grillées
- ★ 4 ou 5 branches de persil frais, ciselées
- ★ Sel, poivre du moulin
- ★ Vinaigrette au miel (voir recette p. 96)

PLATS CLASSIQUES

à partager

VOICI QUELQUES IDÉES DE PLATS CUISINÉS EN VERSION
VEGGIE, SIMPLES MAIS CONVIVIAUX, ET D'ASSAISONNEMENTS.
ILS CONVIENDRONT AUTANT À UN BON DÉJEUNER MAISON
QU'À UN DÎNER EN FAMILLE OU ENTRE AMIS !

Condiments
& assaisonnements

LORSQUE L'ON CUISINE À PARTIR DE PRODUITS BRUTS, LES CONDIMENTS FONT TOUTE LA DIFFÉRENCE
ENTRE UN PLAT FADE ET UNE EXPLOSION DE SAVEURS ! OUTRE LES HERBES AROMATIQUES
ET LES ÉPICES, VOS MEILLEURS ALLIÉS SERONT LES ASSAISONNEMENTS MAISON.

Sels aromatisés

Ces condiments maison ont tout bon ! Ils relèvent
les préparations les plus simples (même quand
on n'a pas eu le temps de préparer une sauce),
et peuvent contribuer à réduire notre consommation
de sel, grâce à leur parfum.

Sel au piment d'Espelette

Les amateurs de piquant apprécieront ce
mélange basque qui relève à merveille les
sauces tomate, les fromages frais et toutes
sortes d'autres plats.

Pour 60 g

★ 50 g de fleur de sel ou de sel
   rose de l'Himalaya
★ 10 g de piment d'Espelette
   en poudre ou en copeaux

Mélangez la poudre de piment à la fleur
de sel. Conservez le tout dans un pot
muni d'un couvercle.

Furikake

Le furikake est un condiment japonais
généralement utilisé pour relever le riz
et les légumes. La version traditionnelle contient
du poisson séché, des graines de sésame,
des algues, du sel et du sucre.

Pour environ 100 g

★ 60 g de graines de sésame
★ 25 g de mélange d'algues sèches
   en paillettes ou 25 g de feuilles de nori
   pour sushis, écrasées en paillettes
★ 10 g de gros sel marin gris
★ 1 cuill. à café de sucre de coco
★ ½ cuill. à café de baies de poivre

1 Préchauffez le four à 100 °C. Étalez les algues
   sur une plaque recouverte de papier sulfurisé
et enfournez-les pendant environ 10 minutes.

2 Dans une poêle sans matière grasse, faites
   griller les graines de sésame quelques
minutes à feu moyen, jusqu'à ce que leur odeur
commence à se diffuser. Une fois les algues
et le sésame refroidis, mélangez tous les
ingrédients et versez dans un moulin à poivre.

Gomasio

Le gomasio est une déclinaison simple du furikake, composée de graines de sésame et de sel. Il offre une délicieuse saveur grillée.

Pour 90 g

★ 80 g de graines de sésame
★ 10 g de gros sel marin gris

1 Dans une poêle sans matière grasse, faites griller les graines de sésame quelques minutes à feu moyen, jusqu'à ce que leur odeur commence à se diffuser.

2 Mélangez-les au gros sel, et versez le tout dans un moulin à poivre.

ASTUCE

Utilisez un moulin à poivre : ce système vous permettra de moudre le furikake ou le gomasio à la minute, pour plus de saveur et une meilleure conservation.

Sel au citron

Ultra rafraîchissant et bien parfumé, ce sel fait merveille dans les salades (essayez-le sur un avocat ou des tomates !), sur les légumes grillés, ou pour relever une tartine de fromage frais. Vous pouvez le préparer avec d'autres agrumes bio de votre choix.

Pour environ 100 g

★ 50 g de fleur de sel
★ 1 citron bio

Préchauffez le four à 100 °C. Nettoyez et râpez le citron pour en prélever le zeste. Étalez les zestes sur une plaque de four recouverte de papier sulfurisé, et enfournez pour environ 10 minutes. Lorsque les zestes sont bien secs, laissez-les refroidir, puis mélangez-les à la fleur de sel. Conservez dans un pot muni d'un couvercle.

Sel aux herbes

Un vrai délice sur les pommes de terre et les légumes rôtis, dans les cakes salés, les pot-au-feu...

Pour environ 100 g

★ 50 g de fleur de sel
★ 25 g d'herbes séchées moulues (persil, origan, céleri, ciboulette...)
★ ½ cuill. à café d'ail et/ ou d'oignon semoule

Mélangez les herbes et condiments à la fleur de sel. Conservez le tout dans un pot muni d'un couvercle.

Plats classiques à partager

Mes sauces préférées

Plutôt minimaliste pour l'assaisonnement, je préfère les saveurs naturelles de bons ingrédients frais et d'aromates (herbes, épices...) aux sauces cuisinées, parfois un peu lourdes. Avec le temps et l'expérience de la cuisine végétarienne, qui m'incite à davantage de créativité, j'ai néanmoins réuni une poignée de recettes de base qui me servent à relever les plats les plus simples. Leur rapidité de préparation est précieuse pour les semaines chargées !

Vinaigrette à la moutarde

Un grand classique pour les salades, dont on ne se lasse pas. Variez les types d'huiles et de vinaigres selon vos goûts !

Pour 3-4 personnes

★ 3 cuill. à soupe d'huile d'olive
★ 2 cuill. à soupe de vinaigre de cidre ou de jus de citron
★ 1 cuill. à soupe de moutarde
★ Sel marin, poivre du moulin

Versez tous les ingrédients dans un petit bol et battez à la fourchette pour obtenir une émulsion homogène. Goûtez et ajustez l'assaisonnement si nécessaire.

◆ ◆ ◆

CONSERVATION

Vous pouvez conserver cette vinaigrette quelques jours dans un petit pot bien fermé au réfrigérateur.

◆ ◆ ◆

ASTUCE

Ajoutez 1 cuillerée à soupe de miel liquide pour une vinaigrette sucrée-salée.

Pesto

Sans conteste ma sauce préférée pour les pâtes ou pour assaisonner des légumes du soleil. Les versions artisanales ou maison, réalisées avec du basilic tout frais, sont tellement meilleures que les pots industriels ! Je personnalise la mienne selon mes envies et les ingrédients dont je dispose.

Pour 2 personnes

★ 1 petit bouquet de basilic frais (environ 20 g)
★ 1 petite gousse d'ail (facultatif)
★ 2 ou 3 cuill. à soupe de levure nutritionnelle ou de parmesan râpé
★ 2 ou 3 cuill. à soupe de pignons de pins ou de noix de cajou
★ Quelques cuill. à soupe d'huile d'olive extra vierge
★ Sel marin, poivre du moulin

1 Lavez et prélevez les feuilles de basilic (vous pouvez aussi utiliser les tiges, hachées). Pelez la gousse d'ail.

2 Mélangez tous les ingrédients dans un petit blender ou robot. Goûtez et rectifiez l'assaisonnement si nécessaire.

Pour faciliter le mixage, vous pouvez doubler ou tripler les quantités : il vous suffira de conserver la portion non utilisée dans un petit pot bien fermé au réfrigérateur, quelques jours au maximum. Vous pouvez aussi simplement écraser et mélanger les ingrédients ensemble dans un mortier.

◆ ◆ ◆

VARIANTES

Vous pouvez substituer au basilic n'importe quelle herbe de votre choix, et préparer par exemple un pesto de coriandre ! Pour en avoir toujours à disposition, l'idéal est de cultiver des herbes aromatiques chez vous.

Sauce crémeuse à l'avocat

Cette sauce est une sorte de pesto, rendu ultra crémeux par la base d'avocat. Elle fait merveille avec les pâtes, mais aussi comme topping sur un bol repas ou des crudités.

Pour 2 personnes

★ 1 avocat
★ 1 petit bouquet de basilic ou de coriandre (environ 20 g)
★ ½ citron bio pressé
★ 1 trait d'huile d'olive extra vierge
★ 1 petite gousse d'ail
★ Sel marin, poivre du moulin

Lavez et prélevez les feuilles de basilic ou de coriandre (vous pouvez aussi utiliser les tiges, hachées). Pelez la gousse d'ail. Placez tous les ingrédients dans un petit blender et mixez-les. Goûtez et rectifiez l'assaisonnement si nécessaire.

Si vous le souhaitez, prélevez les zestes du citron à l'aide d'une râpe fine et ajoutez-les.

CONSERVATION

Si vous n'utilisez que partie de la sauce tomate, vous pouvez congeler le reste : il vous suffira de la décongeler doucement à la poêle. D'ailleurs, n'hésitez pas à doubler ou tripler les proportions pour en avoir en stock.

Sauce tomate

Je n'ai jamais été une grande fanatique de sauces tomate, sauf si elles sont préparées maison. Voici une recette de base toute simple, parfaite telle quelle pour accompagner des pâtes ou faire la base d'une pizza ; n'hésitez pas à la personnaliser selon vos envies avec d'autres condiments !

Pour 4 personnes

★ 1 boîte de 400 g de tomates entières pelées
★ 1 petit oignon
★ 1 gousse d'ail
★ 2 cuill. à soupe d'huile d'olive
★ 1 cuill. à soupe de sucre de votre choix
★ Herbes sèches de votre choix (basilic, origan, persil...)
★ Sel marin, poivre du moulin

1 Faites chauffer de l'huile d'olive dans une poêle. Pelez et hachez l'ail et l'oignon, puis versez-les dans la poêle et remuez bien pendant quelques instants.

2 Dès qu'ils commencent à se colorer légèrement, ajoutez le contenu de la boîte de tomates, le sucre et les herbes. Salez, poivrez, et laissez mijoter à feu moyen-doux environ 30 minutes, en remuant de temps en temps.

3 Goûtez et rectifiez l'assaisonnement si nécessaire. Mixez la sauce si vous le souhaitez.

VARIANTE PIQUANTE

Transformez cette sauce en sauce arrabiata piquante en ajoutant ½ cuillerée à café de flocons de piment. Vous pouvez aussi y ajouter, selon vos goûts, des tranches d'olives noires et vertes et un trait de vin blanc.

Plats classiques à partager

Sauce crémeuse au tahini

Cette sauce est si délicieuse qu'on la dégusterait seule, à la petite cuillère. Mieux vaut toutefois profiter de son crémeux pour ajouter une touche de gourmandise à vos bols repas, vos crudités, ou vos légumes. Ajoutez plus ou moins d'eau pour obtenir la consistance qui vous convient.

Pour 2 personnes

- ★ 1 gousse d'ail ou ½ cuill. à café d'ail en poudre
- ★ Quelques brins de persil
- ★ 3 cuill. à soupe de tahini
- ★ 1 cuill. à soupe généreuse de jus de citron
- ★ 4 ou 5 cuill. à soupe d'eau tiède (ou plus, selon la consistance désirée)
- ★ 1 cuill. à café de sirop d'agave (facultatif)
- ★ Sel marin, poivre du moulin

Pelez et hachez très finement la gousse d'ail ou écrasez-la dans un mortier. Hachez le persil. Mélangez tous les ingrédients dans un petit bol jusqu'à obtenir une sauce crémeuse. Goûtez et rectifiez l'assaisonnement si nécessaire.

Sauce wok

Ce mélange de saveurs asiatiques est un incontournable pour les woks et autres légumes sautés. Si vous ne trouvez pas de sauce sweet chili thaï au rayon cuisines du monde ou en épicerie spécialisée, vous pouvez la remplacer par de la sauce aigre-douce : l'idée est d'ajouter une touche sucrée, légèrement acidulée.

Pour 2 personnes

- ★ 1 petite gousse d'ail
- ★ 1 tranche de gingembre
- ★ 1 cuill. à soupe de sauce soja salée
- ★ 1 ou 2 cuill. à soupe de sauce sweet chili thaï

Pelez et hachez finement l'ail et le gingembre. Mélangez tous les ingrédients dans un petit bol.

COMMENT L'UTILISER ?

Pour aromatiser vos poêlées de légumes et woks, faites chauffer un peu d'huile dans une poêle et faites-y revenir les légumes seuls, puis ajoutez la sauce en milieu de cuisson en remuant bien pour que tous les ingrédients en soient imprégnés. Poursuivez la cuisson quelques minutes jusqu'à ce que les légumes se soient attendris.

Huile de coco et sel parfumé

Voilà le principal assaisonnement de mes bols de riz ! La saveur exotique de l'huile de coco vierge s'y associe divinement.

★ 1 cuill. à café environ d'huile de coco par personne
★ 1 pincée de sel parfumé, comme du gomasio (voir p. 95)

ASTUCE

Pour retrouver le même type de goût, vous pouvez faire cuire le riz dans un mélange 50 % eau et 50 % lait de coco.

Sauce sucrée-salée à caraméliser

Voici un autre mélange, indispensable pour donner une belle couleur, une délicieuse texture caramélisée et du goût aux ingrédients un peu fades. Je l'utilise surtout pour certains champignons et les protéines végétales (tofu, tempeh, protéines de soja texturées réhydratées...), mais il peut convenir pour les woks et autres poêlées.

Pour 2 personnes

★ 2 cuill. à soupe de sauce soja
★ 1 cuill. à soupe de miel ou de sirop sucrant (agave, riz, érable...)
★ 1 cuill. à soupe d'huile de sésame
★ 1 cuill. à café de graines de sésame

Mélangez les ingrédients dans un petit bol.

COMMENT L'UTILISER ?

Pour caraméliser du tofu, du tempeh, des champignons ou des légumes, faites chauffer un peu d'huile dans une poêle et faites-y revenir les ingrédients seuls, puis ajoutez la sauce en fin de cuisson en remuant constamment afin que cela ne brûle pas. Vous pouvez aussi faire mariner le tofu et le tempeh quelques heures dans cette sauce avant de les faire dorer à la poêle.

Différentes saveurs, couleurs et textures, à accorder à vos plats selon vos envies

Quiches maison & cakes salés

DÉLICIEUX, RASSASIANTS, ET ULTRA PRATIQUES, LES GÂTEAUX SALÉS ET LES QUICHES MAISON SONT LES MEILLEURS AMIS DES PERSONNES PRESSÉES! VOUS POUVEZ LES PRÉPARER À L'AVANCE ET LES CONSERVER QUELQUES JOURS AU RÉFRIGÉRATEUR, OU LES CONGELER. ILS NE SONT PAS NÉCESSAIREMENT TRÈS GRAS, ET PEUVENT MÊME CONSTITUER DES REPAS ASSEZ ÉQUILIBRÉS SI L'ON CHOISIT BIEN LEURS INGRÉDIENTS.

VOICI QUELQUES RECETTES DE BASE, À PERSONNALISER AVEC LES GARNITURES DE VOTRE CHOIX, OU EN VOUS INSPIRANT DES MÉLANGES PROPOSÉS.

Quiche

SI LA QUICHE LORRAINE, AVEC SES LARDONS ET SA CRÈME FRAÎCHE, EST LA PLUS CONNUE, ON PEUT RÉALISER DE DÉLICIEUSES QUICHES VÉGÉTARIENNES ET PLUS DIÉTÉTIQUES AVEC DE BONS LÉGUMES DE SAISON.

Pour 1 quiche de 6 portions

★ 1 pâte feuilletée sans graisses hydrogénées

★ 30 cl de lait végétal sans sucre ajouté (soja, amande...)

★ 4 œufs

★ 1 poignée d'emmental râpé

★ Sel marin, poivre du moulin

Recette de base 🥄 15 min 🍲 30 min

1 Préchauffez le four à 200 °C. Disposez la pâte feuilletée au fond d'un moule à tarte huilé. Couvrez-la de papier sulfurisé et de poids (par exemple, un autre moule plus petit, ou des haricots secs...) et enfournez le moule pendant 10 minutes pour précuire ce fond de tarte.

2 Pendant ce temps, dans un saladier, battez le lait, les œufs et le fromage râpé avec un peu de sel et de poivre, puis incorporez les ingrédients de garniture.

3 Sortez le moule du four, retirez les poids et le papier, puis versez le mélange sur la pâte. Enfournez pour environ 25 à 30 minutes, jusqu'à ce que la garniture soit bien dorée.

Plats classiques à partager

La quiche aux épinards et au chèvre, un classique végétarien dont le succès ne se dément pas !

Garniture épinards-chèvre-noix-échalotes

Pour 1 quiche de 6 portions

🥄 5 min 🍲 5 min

★ 400 g d'épinards surgelés
★ 2 belles échalotes hachées
★ 2 gousses d'ail hachées
★ 1 poignée de noix concassées
★ ½ cuill. à café de miel
★ 1 bûchette de fromage de chèvre, émiettée
★ Huile d'olive
★ Sel, poivre du moulin

1 Décongelez les épinards, puis égouttez-les bien.

2 Faites revenir les échalotes et l'ail dans une poêle avec un filet d'huile d'olive et le miel pendant environ 5 minutes, jusqu'à ce qu'ils soient tendres et caramélisés.

3 Incorporez tous les ingrédients à la base de quiche.

ASTUCE GAIN DE TEMPS

Vous pouvez sauter l'étape de précuisson de la pâte si vous manquez de temps ; celle-ci sera un peu moins dorée.

Cake salé

DES INGRÉDIENTS SIMPLES ET SAINS, FACILEMENT ADAPTABLES
AU RÉGIME VÉGÉTALIEN ET SANS GLUTEN, PEU DE MATIÈRE GRASSE...
POUR UN RÉSULTAT MOELLEUX, PARFAIT POUR UN REPAS GOURMAND.

Pour 1 cake de 6-8 portions

★ 150 g de farine (blé, épeautre, mélange sans gluten...)

★ 3 œufs ou 6 cuill. à soupe de fécule de maïs

★ 15 cl de lait végétal sans sucre ajouté (soja, riz, avoine...)

★ 3 cuill. à soupe d'huile d'olive

★ 1 sachet de levure chimique

★ Sel marin, poivre du moulin

Recette de base 🥄 15 min 🍲 45 min

1 Préchauffez le four à 180 °C.

2 Dans un saladier, versez la farine, puis incorporez petit à petit le reste des ingrédients en les mélangeant bien pour obtenir une pâte homogène. Incorporez ensuite les ingrédients de garniture.

3 Versez le tout dans un moule à cake et enfournez pour environ 40 à 45 minutes, jusqu'à ce que la pointe d'un couteau piquée dans le cake en ressorte sèche.

Garniture potimarron, kale, tofu fumé et cranberries
Pour garnir 1 cake de 6-8 portions

🥄 5 min 🍲 10 min

★ ½ potimarron découpé en dés
★ 1 bonne poignée de pousses de kale ou d'épinards
★ 150 g de tofu fumé découpé en dés
★ 1 petit oignon haché
★ 30 g de cranberries séchées

Faites chauffer un peu d'huile d'olive dans une grande poêle et faites-y revenir tous les ingrédients (sauf les cranberries) pendant environ 10 minutes, jusqu'à ce que l'ensemble soit légèrement attendri et doré. Incorporez la garniture à la base du cake.

Le + Santé
des cranberries

Les cranberries possèdent nombre de composantes précieuses telles que le potassium, le phosphore, mais aussi de la vitamine C et d'autres antioxydants, qui permettent de neutraliser les radicaux libres. On connaît l'efficacité du jus de cranberries pour lutter contre les infections urinaires, mais il lutte aussi contre les calculs rénaux.

Muffins salés

QUOI DE PLUS PRATIQUE QUE DES PETITS MUFFINS FAITS MAISON
À EMPORTER POUR LE DÉJEUNER ? VOUS POUVEZ LES GARNIR AVEC
LES RESTES DU FRIGO ET FAIRE D'UNE PIERRE DEUX COUPS !

Pour 6-8 muffins

★ 100 g de farine (blé, épeautre, mélange sans gluten...)

★ 15 cl de lait de soja sans sucre ajouté

★ 2 œufs

★ 1 cuill. à soupe d'huile d'olive

★ 1 cuill. à café de levure chimique

★ Sel marin, poivre du moulin

★ Ingrédients de garniture en morceaux

Recette de base 🥄 15 min 🍲 40 min

1 Préchauffez le four à 200 °C.

2 Dans un saladier, versez la farine, puis incorporez petit à petit le reste des ingrédients en les mélangeant bien pour obtenir une pâte homogène. Incorporez les ingrédients de garniture.

3 Versez la préparation dans des moules à muffins et enfournez pour environ 30 minutes, jusqu'à ce que la pointe d'un couteau piquée dans un muffin ressorte sèche.

Garniture légumes du soleil et mozzarella

★ 1 poignée d'emmental râpé
★ 1 boule de mozzarella bien égouttée, en morceaux
★ 1 petite courgette, en petits morceaux
★ 8 à 10 tomates séchées à l'huile, en morceaux
★ 6 à 8 feuilles de basilic frais, ciselées
★ 1 cuill. à soupe de pignons de pins, à saupoudrer sur le dessus

Mélangez tous les ingrédients et incorporez-les à la préparation précédente.

Currys vegan

LES CURRYS SONT DES PLATS EN SAUCE ÉPICÉS, CONSISTANTS ET SAVOUREUX.
TRÈS SIMPLES À PRÉPARER, ILS FONT DE MERVEILLEUX DÎNERS
HIVERNAUX. PERSONNALISEZ-LES SELON VOS ENVIES !

Curry au lait de coco

Pour 4 personnes

🥄 30 min 🍲 20 min

★ 1 belle gousse d'ail

★ 1 oignon

★ 1 tranche de gingembre épluchée

★ 1 ou 2 cuill. à soupe
de curry en poudre

★ 1 cuill. à soupe de cumin en poudre

★ 1 belle patate douce, épluchée

★ 350 g de pois chiches
cuits, rincés et égouttés

★ 2 ou 3 grosses poignées
d'épinards frais

★ 4 ou 5 champignons de Paris, lavés

★ 20 g de raisins secs

★ 1 boîte de 400 g de lait
de coco + 1 verre d'eau

★ 20 g de noix de pecan

★ Quelques branches de coriandre

★ Huile d'olive

★ Sel marin, poivre du moulin

1 Pelez et hachez l'ail, l'oignon et le gingembre.

2 Dans une grande casserole, mettez à chauffer un filet d'huile d'olive, puis faites revenir l'ail, l'oignon et le gingembre quelques minutes à feu doux. Ajoutez le curry et le cumin, versez un peu d'eau et remuez afin de bien imprégner les ingrédients.

3 Déposez dans la casserole la patate douce coupée en petits morceaux, les pois chiches, les épinards, les champignons coupés en morceaux grossiers et les raisins secs. Remuez pour qu'ils s'imprègnent d'épices, puis versez la totalité du lait de coco et un petit verre d'eau. Portez à ébullition, puis baissez le feu, couvrez, et laissez mijoter 15 à 20 minutes.

4 Retirez le couvercle, ajoutez les noix en morceaux et prolongez la cuisson 5 minutes à découvert, en remuant bien. Profitez de cette étape pour saler, poivrer, goûter et ajuster la consistance ou le goût du curry.

5 Servez parsemé de coriandre, accompagné de riz basmati ou de riz complet.

> Mon curry favori a vraiment tout pour lui ! Prêt en 30 minutes, il ne nécessite pas beaucoup d'ingrédients frais, ce qui est assez pratique quand on manque de temps. Entièrement vegan, il est aussi doux pour les ventres sensibles. Mais surtout, quel délice !

Dahl de lentilles corail

RIEN DE PLUS SIMPLE ET SAVOUREUX QUE CE PLAT D'ORIGINE INDIENNE,
RÉALISABLE EN MOINS D'UNE DEMI-HEURE, MÊME QUAND LE FRIGO EST QUASIMENT
VIDE ! MA RECETTE SIMPLIFIÉE EST IDÉALE POUR UN REPAS EXPRESS,
MAIS ELLE CONVIENT TRÈS BIEN POUR UN PETIT DÎNER ENTRE AMIS.

Pour 4 personnes

★ 250 g de lentilles corail

★ 1 oignon

★ 20 cl de coulis de tomate nature

★ 2 cuill. à soupe de
pâte de curry doux

★ 20 cl de lait de coco

★ Quelques branches de coriandre

★ Huile d'olive

★ Sel marin, poivre du moulin

★ Restes de légumes cuits : aubergine,
courgette, carotte... (facultatif)

🥄 10 min 🍲 20 min

1 Faites chauffer 25 cl d'eau. Quand elle bout, versez-y les lentilles
et laissez cuire 10 à 15 minutes à couvert. Surveillez la cuisson
et ajoutez un peu d'eau si elle a été absorbée avant que les lentilles
soient cuites.

2 Pendant ce temps, pelez et hachez l'oignon. Mettez un peu d'huile
d'olive à chauffer dans une poêle. Faites-y revenir les morceaux
d'oignon à feu moyen pendant quelques minutes. Ajoutez le coulis
de tomate et la pâte de curry, ainsi qu'éventuellement les restes
de légumes. Mélangez bien, laissez mijoter pendant environ
2 minutes, puis coupez le feu.

3 Lorsque les lentilles sont prêtes, versez le mélange à la tomate
dans la casserole. Ajoutez le lait de coco. Salez, poivrez.
Goûtez pour ajuster l'assaisonnement si nécessaire.
Si besoin, laissez mijoter encore quelques minutes,
ou au contraire ajoutez un peu d'eau, pour obtenir
la consistance désirée (plus ou moins liquide).

4 Servez avec quelques feuilles de coriandre fraîche
et du riz basmati ou complet.

SUPPLÉMENT DE SAVEUR

Parfumez le riz cuit avec 1 cuillerée à soupe
d'huile de coco, 1 cuillerée à café de curcuma
en poudre, 1 cuillerée à café de graines
de coriandre et quelques raisins secs jaunes.

*Mélanges de légumes, de légumineuses
et de céréales, les currys constituent
des plats complets déclinables à l'infini.*

Veggie burgers

QUAND JE SUIS DEVENUE VÉGÉTARIENNE, LES BURGERS ÉTAIENT MON UNIQUE FRUSTRATION.
JE NE RÊVAIS PLUS D'UN BON STEAK DEPUIS LONGTEMPS, MAIS LES RECETTES VEGGIE
QUE JE TROUVAIS ÉTAIENT TERRIBLEMENT PEU GOURMANDES À MES YEUX : DES LÉGUMES,
DES LENTILLES OU DES HARICOTS... JE PERDAIS LE PLAISIR D'UNE TEXTURE BIEN FONDANTE,
MOELLEUSE – GRASSOUILLETTE, MÊME, DISONS-LE CLAIREMENT! VÉGÉTARISME N'EST PAS
SYNONYME D'ASCÉTISME, ALORS POURQUOI NE PAS SE FAIRE PLAISIR DE TEMPS EN TEMPS?

*Le burger au portobello a de quoi
convaincre tous les gourmands,
même amateurs de viande !*

Portobello cheeseburger gourmet

CETTE RECETTE EST MA PRÉFÉRÉE, ET J'AVOUE EN ÊTRE ASSEZ FIÈRE. LA CONSISTANCE
CHARNUE DU CHAMPIGNON, LE FONDANT DU FROMAGE, LA SAVEUR DE LA TRUFFE,
LA TOUCHE CARAMÉLISÉE DES OIGNONS... TOUT Y EST GOURMANDISE ! SI VOUS AVEZ
UN BARBECUE À CHARBON, JE VOUS CONSEILLE DE FAIRE GRILLER LES PORTOBELLOS
DESSUS : AVEC CE PETIT GOÛT FUMÉ, LE BURGER N'EN SERA QUE MEILLEUR.

Pour 2 personnes

★ 1 oignon jaune

★ Margarine ou beurre

★ 2 ou 3 cuill. à soupe
de vinaigre balsamique

★ 1 ou 2 cuill. à soupe de sirop d'agave

★ Sel marin, poivre du moulin

★ 2 à 4 têtes de champignons
portobello géants

★ Huile d'olive

★ 1 gousse d'ail

★ 2 belles tranches de gouda à la truffe

★ 2 petits pains artisanaux

★ Graines germées de votre choix

★ Ketchup

★ 1 cuill. à soupe bombée
d'emmental râpé (facultatif)

ASTUCE
Faute de champignons
portobello géants, de gros
champignons de Paris
à farcir feront l'affaire !

🥄 20-30 min 🍲 10-15 min

1 Préchauffez le four à 200 °C, en position grill.

2 Hachez l'oignon en petits morceaux. Faits chauffer un peu
de beurre ou de margarine dans une poêle et mettez-y
les oignons à revenir, à feu moyen, en remuant régulièrement
pour qu'ils s'attendrissent et dorent. Baissez ensuite un peu
le feu et arrosez avec le vinaigre balsamique et le sirop d'agave.
Salez, poivrez, et laisser mijoter à feu doux en remuant de temps
en temps jusqu'à ce que les oignons soient bien caramélisés.
Ajustez l'assaisonnement en cours de cuisson si besoin.

3 Pendant ce temps, nettoyez les têtes de portobello sans
les passer sous l'eau : frottez délicatement l'extérieur et retirez
les pieds. Badigeonnez-les ensuite d'huile d'olive. Émincez la gousse
d'ail et découpez en petits morceaux le gouda à la truffe.
Répartissez les morceaux de gouda et d'ail dans le côté creux
des champignons. Salez, poivrez, et parsemez éventuellement
d'un peu de fromage râpé.

4 Déposez sur une grille du four et laissez rôtir 10 à 15 minutes,
jusqu'à ce que le fromage soit bien fondu, voire presque gratiné,
et les champignons bien moelleux et réduits en volume.

5 Au moment de servir, coupez les petits pains en deux et tartinez
de ketchup la moitié inférieure. Déposez-y les portobellos
(empilés s'il y en a deux) tout juste sortis du four, puis un peu
d'oignons caramélisés, et terminez par une pincée de graines
germées. Dégustez immédiatement.

Veggie burger patate douce & avocat

ICI, C'EST LA CHAIR MOELLEUSE ET FONDANTE DE LA PATATE DOUCE, LÉGÈREMENT RAFFERMIE DANS UN FORMAT GALETTE, QUI REMPLACE (AVANTAGEUSEMENT SELON MOI) LA VIANDE. JE L'AI TOUT NATURELLEMENT ASSOCIÉE À L'AVOCAT.

Pour 2 personnes

★ 2 échalotes

★ 400 g de purée de patate douce épaisse

★ 60 g de farine neutre de votre choix

★ 1 œuf ou 1 cuill. à café de graines de chia

★ Sel marin, poivre du moulin

★ 2 muffins anglais

★ 1 gros avocat ou 2 petits

★ Huile d'olive

★ Crème de balsamique

🥄 15 min 🍲 15 min

1 Hachez les échalotes. Mettez un peu d'huile à chauffer dans une poêle et faites-y revenir les échalotes pendant 2 ou 3 minutes, jusqu'à ce qu'elles s'attendrissent et dorent légèrement.

2 Dans un saladier, versez la purée de patate douce, puis les échalotes, la farine, l'œuf ou les graines de chia, un peu de sel et de poivre. Mélangez à la fourchette.

3 Faites chauffer un peu d'huile dans une poêle à feu moyen. Prélevez ensuite une grosse cuillerée à soupe du mélange et déposez-le dans la poêle, en l'étalant un peu pour qu'il prenne la forme d'une galette. Laissez cuire quelques minutes, en vérifiant de temps en temps que ça ne brûle pas, puis retournez la galette à l'aide d'une spatule et faites cuire l'autre face quelques minutes. Réservez la galette au chaud. Répétez l'opération jusqu'à épuisement du mélange.

4 Au moment de servir, coupez les muffins en deux, toastez-les et beurrez-les si vous le souhaitez. Déposez-y 2 galettes de patate douce empilées. Superposez-y des lamelles d'avocat et terminez par un filet de crème de balsamique.

VARIANTE

Pour un goût un peu plus prononcé, vous pouvez ajouter une tranche d'un bon fromage de chèvre type Valençay, ou tartiner un peu de chèvre frais sur le pain.

CUISSON DES PATATES DOUCES

L'idéal est de cuire les patates douces au four ou à la vapeur. Si vous les cuisez à l'eau, égouttez la purée au maximum en la laissant reposer 10 minutes dans un chinois fin.

Burger mozzarella & légumes du soleil

CE BURGER ENSOLEILLÉ REPOSE SUR UNE ASSOCIATION INTEMPORELLE DE BONS INGRÉDIENTS :
DE LA MOZZARELLA, DES LÉGUMES D'ÉTÉ CONFITS ET DU PESTO. LA CUISSON AU FOUR DEMANDE
UN PEU DE TEMPS, MAIS VOUS POUVEZ L'EFFECTUER LA VEILLE. IL NE VOUS RESTERA PLUS ALORS
QU'À ÉGOUTTER LE FROMAGE, À RÉCHAUFFER LES TRANCHES RÔTIES ET À ASSEMBLER LE TOUT.

Pour 2 personnes

* ★ 1 grosse boule de mozzarella
* ★ 1 aubergine
* ★ 1 courgette
* ★ 1 tomate bien charnue
* ★ 2 gousses d'ail
* ★ 2 cuill. à soupe de pesto maison (voir p. 96)
* ★ Crème de balsamique
* ★ 2 cuill. à soupe d'huile d'olive
* ★ Quelques feuilles de basilic frais

🕒 15 min 🫖 1 h

1 Préchauffez le four à 180 °C. Lavez les légumes. Coupez 4 tranches d'aubergine, 4 tranches de courgette (en biais, pour qu'elles soient plus grandes), et 2 belles tranches de tomate. Étalez le tout dans un grand plat à gratin, ajoutez-y les gousses d'ail non épluchées et arrosez d'huile d'olive. Salez, poivrez, et enfournez pour environ 1 heure, ou jusqu'à ce que tous les légumes soient bien tendres.

2 Pendant ce temps, déposez la mozzarella dans une passoire fine, type chinois, au-dessus de l'évier ou d'un saladier. Laissez-la s'égoutter jusqu'à 1 heure : moins elle sera aqueuse, mieux ce sera.

3 Sortez les légumes du four. Écrasez les gousses d'ail pour en libérer la pulpe cuite et badigeonnez-en les tranches.

4 Au moment de servir, coupez les petits pains en deux et tartinez-les de pesto. Déposez sur chacun ses tranches de légumes, surmontées d'une demi-boule de mozzarella bien égouttée. Arrosez d'un filet de crème de balsamique et de basilic frais ciselé. Dégustez immédiatement, avant que la mozzarella ne fonde trop !

VARIANTE VEGAN

Pour une version vegan, remplacez la tranche de mozzarella par quelques tranches de tofu nature bien fermes et égouttées, que vous poêlerez avec un peu de pesto.

*Frais et très parfumé,
le bò bún est un plat
sain qui fait voyager !*

Bò bún végétal

CETTE RECETTE, ADAPTÉE AU VÉGÉTARISME, EST UNE MERVEILLE DE SIMPLICITÉ. LA LISTE DES INGRÉDIENTS EST UN PEU LONGUE MAIS ELLE NE CONTIENT AUCUN ÉLÉMENT COMPLIQUÉ ; VOUS TROUVEREZ SANS PROBLÈME LA SAUCE ET L'HUILE EN MAGASIN BIO OU ÉPICERIE ASIATIQUE. QUANT À LA PRÉPARATION, IL NE FAUT QUASIMENT RIEN FAIRE, À PART REMUER QUELQUES INGRÉDIENTS DANS UNE POÊLE ET ASSEMBLER DIFFÉRENTES PRÉPARATIONS.

Pour 2 personnes

★ 200 g de vermicelles de riz
★ 1 belle carotte
★ 1 petit concombre
★ 2 poignées de feuilles de sucrine ou de laitue iceberg
★ 2 poignées de pousses de soja
★ 2 poignées de feuilles de coriandre
★ 2 poignées de feuilles de menthe

Pour la « viande »

★ 50 g de protéines de soja texturées + 1 cube de bouillon de légumes
ou 150 g de tofu fumé
ou 150 g de seitan préparé
★ 1 belle gousse d'ail
★ ½ oignon
★ 4 cuill. à soupe d'huile de sésame
★ 5 cuill. à soupe de sauce soja ou tamari
★ 2 cuill. à soupe de sirop d'agave ou de miel
★ 1 goutte d'huile essentielle de citronnelle (facultatif)

Pour l'assaisonnement

★ Sauce soja ou tamari
★ 1 citron
★ 2 cuill. à soupe de sirop d'agave
★ Quelques pincées d'ail en poudre
★ Graines de sésame ou cacahuètes écrasées

20 min

1 Le cas échéant, réhydratez les protéines de soja selon les instructions du paquet, avec un cube de bouillon.

2 Réhydratez les vermicelles de riz. Rincez-les ensuite à l'eau froide et réservez dans un bol d'eau fraîche jusqu'au moment du montage.

3 Préparez le reste de la salade : coupez la carotte et le concombre, hachez grossièrement les aromates et mélangez avec le reste des crudités.

4 Égouttez les protéines de soja ou découpez le tofu ou le seitan en morceaux.

5 Mettez à chauffer 1 ou 2 cuillerées à soupe d'huile de sésame dans une poêle antiadhésive, puis versez-y les morceaux avec l'ail et l'oignon hachés. Faites revenir quelques minutes à feu moyen en remuant de temps en temps.

6 Ajoutez la sauce soja et le sirop d'agave, et remuez constamment jusqu'à ce que les morceaux commencent à dorer et caraméliser légèrement. Hors du feu, ajoutez éventuellement la goutte de citronnelle et remuez bien.

7 Dans un petit bol, mélangez un trait de sauce soja, le jus du citron, un peu d'ail en poudre et le sirop d'agave.

8 Versez les vermicelles bien égouttés dans un saladier et arrosez avec la sauce obtenue. Mélangez bien pour imprégner le tout. Ajoutez le reste des ingrédients (crudités et protéines caramélisées avec l'ail et l'oignon hachés) et saupoudrez de graines de sésame ou de cacahuètes.

Plats classiques à partager

Samossas

DÉCLINABLES À L'INFINI, LES BOUCHÉES FARCIES DE MÉLANGES MAISON
SONT PARFAITES POUR UN APÉRITIF OU UN REPAS QUI CHANGE. ELLES SONT AUSSI
UN BON MOYEN DE FINIR LES RESTES DU FRIGO SANS AVOIR L'IMPRESSION DE MANGER
DEUX FOIS LA MÊME CHOSE ! SERVEZ-LES ACCOMPAGNÉES D'UNE SALADE VERTE.

Préparation de la farce

Farce pour 8 triangles (2-4 personnes)

🥄 10 à 20 min   🍲 10-15 min

Bouchées épinards, feta et raisins secs

★ 1 gousse d'ail
★ ½ oignon
★ 200 g d'épinards surgelés
★ 150 g de feta
★ 15 à 20 raisins secs
★ Huile d'olive

Mettez un filet d'huile d'olive à chauffer dans une poêle et faites revenir l'ail et l'oignon hachés pendant quelques instants. Ajoutez les épinards et remuez pendant 2 ou 3 minutes pour les décongeler. Complétez avec les raisins secs, la feta émiettée. Salez si besoin, poivrez, et mélangez bien. Lorsque les épinards sont cuits, coupez le feu et réservez.

Bouchées au tempeh et légumes épicés

★ 200 g de pommes de terre
★ 100 g de petits pois surgelés
★ 100 g de tempeh fumé
★ ½ petit oignon
★ 1 cuill. à café de curry en poudre
  (à ajuster selon vos goûts)
★ Coriandre
★ Huile d'olive

1 Épluchez et découpez les pommes de terre en gros dés. Portez de l'eau à ébullition dans une casserole, puis mettez les pommes de terre à cuire une dizaine de minutes.

2 Ajoutez les petits pois et laissez-les cuire 1 minute après la reprise de l'ébullition. Égouttez les légumes.

3 Faites chauffer un filet d'huile d'olive dans une poêle, puis faites revenir l'oignon haché avec le curry quelques minutes. Ajoutez les légumes égouttés et écrasés grossièrement, ainsi que le tempeh coupé en petits dés.

4 Mélangez, salez, poivrez et ajoutez un peu de coriandre fraîche.

*Les samossas
sont parfaits pour
un repas entre amis.*

Triangles aux feuilles de brick

LES FEUILLES DE BRICK SONT L'OPTION LA PLUS RAPIDE, PUISQU'ELLES S'UTILISENT SANS PRÉPARATION PRÉALABLE. ON PEUT LES CUIRE À LA POÊLE, MAIS LA CUISSON AU FOUR DONNE UN RÉSULTAT MOINS GRAS ET TOUT AUSSI CROUSTILLANT. NOTEZ TOUTEFOIS QUE CES GALETTES SONT FABRIQUÉES À PARTIR DE FARINE DE BLÉ BLANCHE, QUI NE CONVIENDRA PAS À TOUS.

Pour 8 triangles

★ 4 feuilles de brick
★ Huile d'olive

Recette express ✎ 5 min 🍲 10-15 min

1 Préparez la farce selon les instructions de la p. 112.
Préchauffez le four à 200 °C.

2 Découpez les feuilles de brick en deux demi-cercles.
Pour chaque demi-cercle, repliez le bord rond sur lui-même. Déposez une cuillerée à soupe bombée de farce sur l'extrémité droite et repliez chaque coin externe vers le coin diagonalement opposé pour former petit à petit un chausson en forme de triangle. Coincez le dernier pan de feuille sous le dernier pli.

3 Badigeonnez chaque triangle d'un peu d'huile et enfournez sur une plaque recouverte de papier sulfurisé pendant 10 à 15 minutes, jusqu'à ce que les chaussons soient dorés.

114

Triangles aux galettes de riz vietnamiennes

JE RAFFOLE DES TRIANGLES RÉALISÉS AVEC DES GALETTES DE RIZ (UTILISÉES POUR PRÉPARER LES ROULEAUX DE PRINTEMPS ET LES NEMS), QUE L'ON TROUVE EN ÉPICERIE ASIATIQUE. MAIS ILS SONT UN PEU PLUS LONGS À PRÉPARER ET LA CUISSON AU FOUR LEUR RÉUSSIT MOINS. JE LES PRÉPARE DONC À LA POÊLE : C'EST PLUS GRAS, MAIS POUR UN PETIT PLAISIR DE TEMPS EN TEMPS, POURQUOI PAS !

Pour 8 triangles

- ★ 8 feuilles de riz
- ★ Huile d'olive

Recette sans gluten   15 min  10 min

1 Sur un plan de travail, préparez un grand saladier rempli d'eau froide et un torchon en coton propre que vous étalerez.

2 Munissez-vous d'une galette de riz et plongez-la environ 2 minutes dans l'eau. Lorsqu'elle est bien souple, sortez-la et étalez-la sur le torchon.

3 Pliez le cercle en deux pour obtenir un demi-cercle et repliez le bord rond sur lui-même.

4 Déposez une cuillerée à soupe bombée de farce sur l'extrémité droite et repliez chaque coin externe vers le coin diagonalement opposé pour former petit à petit un chausson en forme de triangle. Coincez le dernier pan de feuille sous le dernier pli ou « collez-le » avec un peu d'eau au reste du triangle.

5 Badigeonnez le triangle d'un peu d'huile d'olive et réservez. Mettez à chauffer 2 cuillerées à soupe d'huile d'olive dans une poêle antiadhésive à feu moyen.

6 Faites rissoler les triangles d'un côté, puis de l'autre, jusqu'à ce qu'ils dorent légèrement. Déposez les triangles cuits sur du papier absorbant.

ASTUCE

Si vous disposez d'un panier vapeur, vous pouvez y faire cuire ces triangles environ 10 minutes au-dessus d'une casserole d'eau bouillante.

Pizzas

NON, PIZZA N'EST PAS SYNONYME DE « JUNK FOOD » ! LES PIZZAS MAISON, PRÉPARÉES
AVEC DE BONS INGRÉDIENTS, PEUVENT MÊME CONSTITUER UN REPAS ASSEZ COMPLET,
PARFAIT POUR LE DIMANCHE SOIR DEVANT UN BON FILM, OU UN REPAS CONVIVIAL
ENTRE AMIS. POURQUOI NE PAS PROPOSER À CHACUN DE PERSONNALISER LA SIENNE ?
VOICI QUELQUES IDÉES POUR EN RÉALISER CHEZ VOUS SANS Y PASSER DES HEURES !

Pour 2-4 personnes

- ★ 5 g de levure de boulanger sèche
- ★ 300 g de farine semi-complète de blé ou d'épeautre
- ★ 18 cl d'eau tiède
- ★ 2 cuill. à soupe d'huile d'olive
- ★ ½ cuill. à café de sel

Pâte à pizza express 🥄 30 min 🍲 15 min

1 Dans un verre, mélangez la levure avec un peu d'eau tiède.

2 Mélangez dans un saladier la farine, le sel, l'huile d'olive et versez
le reste de l'eau petit à petit. Ajoutez la levure. Pétrissez la pâte
à la main pendant 5 minutes, jusqu'à obtenir une pâte lisse et un peu
élastique. N'hésitez pas à ajouter un peu d'eau ou de farine pour que
la masse ne soit pas trop collante.

3 Laissez reposer la pâte dans le saladier, couverte d'un torchon,
pendant que vous mettez le four à préchauffer à 220 °C
et préparez votre garniture.

4 Déposez la boule de pâte sur une surface de travail plane, propre
et farinée, et étalez-la au maximum avec un rouleau à pâtisserie.
Enfournez pour 5 minutes, puis sortez du four et ajoutez la garniture.
Enfournez à nouveau pour environ 10 minutes, jusqu'à ce que
la croûte ait un peu doré.

*La pizza margherita réunit
tout en simplicité trois
des meilleures saveurs d'Italie.*

ASTUCE

Vous pouvez préparer la pâte
la veille, ou au maximum
2 jours à l'avance, et la placer
au réfrigérateur une fois pétrie,
dans un contenant bien fermé.

Pizza margherita

★ 3 ou 4 cuill. à soupe de sauce tomate (voir recette p. 97)
★ 1 grande boule de mozzarella di bufala bien égouttée
★ Basilic frais ou surgelé
★ Huile d'olive
★ Sel marin, poivre du moulin

1 Étalez la sauce tomate sur toute la surface de la pâte, en préservant 1 cm environ sur le bord externe pour la croûte.

2 Répartissez la mozzarella coupée en tranches, salez, poivrez, et enfournez.

3 Une fois la pizza sortie du four, vous pouvez y ajouter du basilic ciselé et un filet d'huile d'olive.

Pizza verte

★ 1 botte de jeunes asperges vertes
★ 2 cuill. à soupe de pesto (voir recette p. 96)
★ 1 ou 2 cuill. à soupe de crème fraîche ou crème de soja à cuisiner
★ 1 bocal d'artichauts marinés
★ 1 ou 2 bûchette(s) de fromage de chèvre
★ Roquette
★ Sel marin, poivre du moulin

1 Lavez les asperges, cassez la partie rigide en bas de la tige, puis blanchissez-les 4 minutes à l'eau bouillante. Égouttez-les et coupez-les soit en deux dans la longueur, soit en tronçons, soit en lanières à l'aide d'un éplucheur à légumes.

2 Lorsque la pâte à pizza est prête, mélangez le pesto avec un peu de crème et étalez cette sauce sur toute la surface, en préservant 1 cm environ sur le bord externe pour la croûte.

3 Répartissez les morceaux d'asperges, des morceaux d'artichauts marinés et des tranches de chèvre. Salez, poivrez et enfournez.

Pizza aux légumes

★ Quelques tranches d'aubergines grillées surgelées
★ ½ courgette
★ ½ gousse d'ail (facultatif)
★ Sauce tomate
★ 1 boule de mozzarella di bufala bien égouttée
★ Roquette
★ Basilic frais
★ Sel marin, poivre du moulin

1 Réchauffez les tranches d'aubergine au micro-ondes ou à la poêle.

2 Découpez la courgette dans le sens de la longueur, pour créer de longues tranches. Faites chauffer un peu d'huile dans une grande poêle et faites-y revenir les tranches de courgette pendant 5 minutes – vous pouvez y ajouter ½ gousse d'ail si vous le souhaitez.

3 Étalez la sauce tomate sur toute la surface de la pâte, en préservant 1 cm environ sur le bord externe pour la croûte. Répartissez la mozzarella coupée en tranches et les légumes. Salez, poivrez et enfournez.

4 Après la cuisson, vous pouvez ajouter une poignée de roquette et du basilic ciselé.

ASTUCE

Vous pouvez réaliser une pizza avec des restes de légumes cuits que vous avez au réfrigérateur !

Plats classiques à partager

LES BOLS-REPAS

& plats à emporter

Au quotidien, pour manger sain et varié sans perdre du temps avec des préparations minutieuses, je préfère la simplicité des plats à assembler. Dans un grand bol ou dans une lunch box, ils permettent de créer des repas complets, équilibrés et personnalisés. Un peu de céréales, des légumes, des protéines, un assaisonnement, et le tour est joué !

Le B.A.-BA

QUAND ON N'A PAS LE TEMPS DE PRÉPARER
UN PLAT CLASSIQUE, LES BOLS-REPAS SONT
UNE RÉVOLUTION! L'IDÉE EST D'ASSEMBLER
DANS UN GRAND BOL OU UNE ASSIETTE CREUSE
DIFFÉRENTES PRÉPARATIONS OU INGRÉDIENTS
QUI, ENSEMBLE, FORMENT UN REPAS COMPLET.
LES POSSIBILITÉS SONT INFINIES, ET MANGER
VARIÉ N'A JAMAIS ÉTÉ AUSSI FACILE !

Le choix des ingrédients

Pour que votre bol soit un véritable repas complet, l'idéal est d'y inclure chacune des catégories d'aliments. En cas de petite faim, vous pouvez omettre l'un des groupes, mais cela doit rester ponctuel. Les proportions indiquées ici sont une simple indication ; elles peuvent bien sûr être adaptées à votre appétit et vos besoins physiques.

PROTÉINES VÉGÉTALES

🍲 **Les légumes secs, ou légumineuses.** Sans doute la manière la plus facile et rapide d'ajouter des protéines à son bol : les légumineuses en conserve ! Déjà cuites, elles peuvent être consommées telles quelles, enrobées d'épices ou de sauces, cuisinées rapidement dans un curry (voir p. 104) ou mixées en purée, éventuellement avec d'autres ingrédients. Prévoyez environ 80 g par personne.

🍲 **Le tofu ferme et le tempeh.** Ces deux dérivés de soja sont faciles à ajouter à n'importe quel bol, pour un apport complet en protéines. Prévoyez environ 100 g par personne. Si leur texture est assez différente, ils peuvent se préparer de manière similaire, et sont généralement meilleurs après avoir mariné quelques heures dans une sauce. Pour les utiliser sans trop de préparation préalable, je vous conseille d'opter pour des versions fumées ou aromatisées, qui seront moins fades !

🍲 **Le seitan.** Les personnes qui le supportent peuvent opter pour du seitan, excellente source de protéines à base de gluten de blé. On le trouve tout prêt en magasin bio. Prévoyez environ 100 g par personne, de préférence mariné dans une sauce ou aromatisé, pour plus de saveur.

🍲 **Les œufs.** Les œufs durs cuisent en 10 minutes à l'eau bouillante et se conservent quelques jours au réfrigérateur. Comptez deux œufs par personne. Simplement salés et poivrés ou accompagnés d'une vinaigrette ou d'une sauce à l'avocat (voir p. 97), ils s'intègrent à tous les bols.

♟ Les fromages. Leur teneur élevée en lipides les rend un peu lourds, mais les fromages peuvent s'intégrer de temps en temps à des bols repas. Pensez par exemple au chèvre émietté ou à la feta dans vos légumes, au halloumi poêlé, ou tout simplement aux tartines.

LÉGUMES

Vous pouvez choisir un ou plusieurs légumes parmi ces différentes catégories. Je vous conseille d'y inclure aussi systématiquement que possible des légumes verts à volonté (épinards, laitue, brocoli, kale, haricots verts, jeunes pousses…), de mélanger et de varier vos choix afin de diversifier vos apports de nutriments.

Certains étant riches en glucides (pommes de terre, patates douces, petits pois, maïs…), ils sont considérés comme des féculents par les nutritionnistes. N'en abusez donc pas, mais ne vous en privez pas non plus : il suffit de réduire légèrement l'apport de céréales en contrepartie.

♟ Légumes feuilles : épinards, laitue, roquette, cresson…

♟ Légumes fruits : aubergines, courgettes, concombres, tomates, poivrons…

♟ Légumes racines : carottes, betteraves, pommes de terre, patates douces, radis, panais…

♟ Courges : potiron, potimarron, courge butternut…

♟ Choux : chou-fleur, brocoli, chou kale, choux de Bruxelles, chou rouge, chou blanc…

♟ Légumes gousses : haricots verts, petits pois, pois mange-tout…

♟ Légumes lacto-fermentés : « choucroute », cornichons, petits oignons…

♟ Graines germées : alfalfa, soja, radis, roquette, cresson…

CÉRÉALES

Les céréales sont des sources de glucides complexes (surtout lorsqu'elles sont complètes ou semi-complètes) et de protéines. Comptez environ 200 g de céréales cuites par personne, ou moins si le bol contient déjà des féculents. L'idéal est de varier au maximum parmi vos saveurs préférées. Le choix est vaste : riz, quinoa, semoule, boulgour, orge perlée, millet, sarrasin, pâtes, pain…

Notez que le quinoa, le blé, l'épeautre, l'orge et l'avoine sont les plus protéinées.

CONDIMENTS ET TOPPINGS

Bien qu'ils ne soient pas indispensables, les toppings permettent de relever le goût des bols repas les plus simples, mais aussi d'apporter un peu de texture (du croquant, par exemple) ; ils ont parfois aussi des propriétés nutritionnelles et médicinales intéressantes.

♟ Aromates : herbes (basilic, persil, origan, menthe, coriandre, sauge, ciboulette, cerfeuil, aneth, thym, romarin…), ail, échalote, oignon…

♟ Épices : cumin, gingembre, paprika, curcuma, ras-el-hanout, curry, garam massala, piment, safran, fenugrec, chili…

♟ Graines : sésame, tournesol, courge, lin, chanvre, moutarde…

♟ Noix : noix, amandes, noisettes, noix de cajou, noix de pécan…

♟ Sauces : sauce soja, sauce tomate, houmous, sauce maison (voir p. 96)…

♟ Autres condiments : olives, tomates séchées, câpres…

Astuces pour un bol-repas réussi

LES INGRÉDIENTS, AINSI QUE LA FAÇON DONT ON LES CUIT – OU PAS – CRÉENT DIFFÉRENTES TEXTURES DANS LE BOL, ET CONTRIBUENT À LE RENDRE APPÉTISSANT. SANS CHERCHER À FAIRE FIGURER TOUTES LES CONSISTANCES POSSIBLES, JE TROUVE INTÉRESSANT DE CRÉER QUELQUES CONTRASTES, POUR QUE LA MISE EN BOUCHE NE SOIT PAS MONOTONE : DES TEXTURES CROQUANTES ET FRAÎCHES ALLIÉES À DES PRÉPARATIONS CRÉMEUSES, DU FONDANT À DU CHARNU, OU UNE TOUCHE CROUSTILLANTE SUR DES ALIMENTS MOELLEUX, PAR EXEMPLE.

Varier les textures

Voici quelques styles de textures différentes que l'on peut essayer d'associer :

🍳 **Fondant, moelleux, réconfortant** : légumes-racines confits, patates douces rôties, aubergines, poireaux fondus, poivrons confits, fromage, nouilles chinoises, pâtes...

🍳 **Vert, léger, aqueux, frais** : crudités, jeunes pousses, laitue, concombres, pastèques, grenades, asperges, pois gourmands sautés, haricots, agrumes...

🍳 **Croquant, croustillant** : crudités, noix, graines, pois chiches et haricots rôtis, chips maison, chapelure ou panure...

🍳 **Dense, légèrement farineux** : pois chiches, petits pois, fèves, lentilles, haricots blancs et rouges, tempeh, pommes de terre...

🍳 **Crémeux** : purée, houmous, chèvre frais, sauces...

🍳 **Charnu** : tofu ferme, tomate cœur de bœuf bien mûre, tomates séchées, champignons cuits, certains fromages...

Équilibrer les types de saveurs

L'équilibre des saveurs est un point important pour un plat réussi. Évidemment, il n'est pas nécessaire que chacun de vos bols repas mérite une étoile Michelin : en suivant simplement vos envies et vos goûts, le risque de mal faire est minime. Néanmoins, si vous avez besoin d'un petit coup de pouce pour associer les saveurs, voici quelques astuces :

🔸 **Évitez de réunir uniquement des saveurs très douces** : il est intéressant d'avoir au moins un ou deux éléments plus puissants, plus aromatiques, pour relever le plat. Pensez aux ingrédients forts en goût, de toutes sortes : fromage de chèvre ou bleu, poivrons, olives, champignons shiitake, tomates séchées... Si tous les ingrédients de base sont légèrement fades, pensez à l'ail, à l'oignon, aux herbes aromatiques et aux épices. Quelques feuilles de coriandre et une petite tranche de gingembre peuvent faire toute la différence !

🔸 **Ne cherchez pas non plus à associer plusieurs ingrédients puissants,** au risque de saturer votre palais ou de rendre le plat un peu écœurant. Mieux vaut compter sur une ou deux touches bien mises en valeur que de créer un méli-mélo dans lequel tout s'entrechoque.

🔸 **Lorsqu'un type de saveur est globalement prédominant** dans votre plat, vous pouvez créer un léger contraste avec une saveur opposée : le résultat est souvent très agréable et mieux équilibré. Ajoutez un peu de sucré dans une préparation très salée (miel et sauce soja), un élément crémeux et riche dans un plat épicé piquant (lait de coco et curry), une touche de fraîcheur pour les ingrédients lactés (fines herbes ou jus de citron et yaourt), quelques rappels fruités associés aux saveurs soufrées (cranberries et chou), etc.

🔸 **Si vous manquez d'idées** d'ingrédients à associer ou si vous n'êtes pas sûr d'imaginer des mélanges heureux, le plus simple est de choisir parmi les aliments d'une même saison ou d'un même terroir. Par exemple, les fruits et légumes d'automne vont souvent très bien ensemble : champignons, courges, choux, pommes... De même, les produits méditerranéens font de délicieuses combinaisons : tomate, aubergine, mozzarella, feta, basilic, origan...

🔸 **Vous manquez d'inspiration ?** Observez la carte des restaurants qui vous plaisent ou les recettes de vos blogs préférés et notez des idées d'associations. Il est également intéressant d'apprendre à connaître la cuisine de différentes régions du monde pour voir ce qui y est traditionnellement associé, et intégrer de nouvelles idées à son quotidien.

Le + Santé
du mélange des couleurs

Les assiettes colorées sont non seulement plus jolies et plus appétissantes, mais elles garantissent aussi une plus grande diversité de saveurs et de nutriments. Mélangez si possible le vert, le pourpre, le jaune, l'orange et le rouge.

Les aliments rouges sont riches en lycopène, un puissant antioxydant essentiel à la santé cardiovasculaire ; les aliments orange doivent leur couleur au bêta-carotène, allié d'une bonne vue et d'une belle peau ; la couleur verte est synonyme d'aliments alcalinisants et nettoyants ; enfin, le bleu-violet signale la présence d'antioxydants spécifiques, l'anthocyanine, et des composés phénoliques.

Mes bols-repas pour le printemps & l'été

AU RETOUR DU PRINTEMPS, LES ÉTALS SE COLORENT DE VERT TENDRE, PUIS DE BELLES TEINTES ROUGES ET ORANGÉES LORSQUE L'ÉTÉ ARRIVE! OUTRE LES SALADES COMPLÈTES, J'AIME ALORS ME PRÉPARER DES BOLS-REPAS QUI ME FONT VOYAGER ET PENSER AUX VACANCES, COMME CEUX QUE JE VOUS PROPOSE ICI. LÀ AUSSI, N'HÉSITEZ PAS À LES PERSONNALISER !

Ces bols correspondent à une portion généreuse pour une personne. Vous pouvez bien sûr modifier légèrement les quantités selon votre appétit.

Vert tendre

Nouilles de riz brun ou de sarrasin

Pour 1 portion 🥄 5 min

★ 70 g de nouilles sèches

Faites cuire les nouilles selon les indications du paquet. Égouttez, salez, poivrez. Enrobez-les d'un filet d'huile de sésame pour qu'elles ne collent pas et arrosez d'un peu de sauce pour wok (voir p. 98) ainsi que de gingembre râpé et de coriandre si vous le souhaitez.

Avocat

Pour 1 portion 🥄 3 min

★ ½ avocat

Découpez l'avocat en tranches et ajoutez-les dans le bol. Vous pouvez saler, poivrer, et ajouter un filet de crème de balsamique ou de jus de citron si vous le souhaitez. Avec quelques flocons de piment d'Espelette, c'est très bon aussi !

Roquette et vinaigrette

Pour 1 portion 🥄 3 min

★ 1 poignée de roquette

Assaisonnez la roquette avec une petite vinaigrette maison (voir p. 96).

Fèves pelées surgelées

Pour 1 portion 🥄 10 min

★ 1 petite poignée de fèves surgelées

Faites cuire les fèves selon les indications du paquet. Salez et poivrez.

◆———◆———◆

VARIANTE

Vous pouvez remplacer les fèves par des *edamame*, ou haricots de soja, sortis de leur gousse.

Le + Santé
de l'edamame

Ce sont des fèves de soja cueillies avant complète maturité. Elles sont riches en fer et en vitamine C, et apportent 10,2 g de protéines et 4,8 g de fibres pour 100 g.

Œufs mollets

Pour 1 portion 🥄 10 min

★ 1 ou 2 œufs

Portez de l'eau salée à ébullition dans une casserole. Déposez-y délicatement les œufs et laissez-les cuire pendant 6 minutes. Placez-les dans un saladier d'eau très froide pour arrêter la cuisson. Écalez les œufs, puis servez-les coupés en deux dans le bol.

◆———◆———◆

IDÉE

Personnellement, j'aime y ajouter un peu de moutarde !

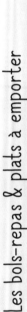
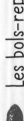

Façon couscous

Semoule

Pour 1 portion · 5 min · 15 min

★ 50 g de semoule (blé complet, épeautre, maïs…)

Réhydratez la semoule selon les indications du paquet, égrainez-la, salez et poivrez.

Légumes du soleil poêlés au ras-el-hanout

Pour 2 portions · 5 min

10-15 min

★ 1 petite courgette
★ ½ aubergine
★ ½ poivron rouge (pelé, si possible, pour un résultat plus digeste)
★ ½ oignon
★ 1 cuill. à café de ras-el-hanout

Coupez les légumes en petits dés et hachez l'oignon. Mettez à chauffer un filet d'huile d'olive dans une poêle, puis faites-y revenir les légumes environ 5 minutes à feu moyen. Ajoutez le ras-el-hanout, salez, poivrez, et faites revenir encore 5 à 10 minutes, jusqu'à ce que tous les légumes soient bien tendres.

Boulettes de lentilles

Pour 2-3 portions · 5 min

15-20 min

★ 200 g de lentilles en conserve (poids égoutté)
★ 40 g de farine complète de votre choix
★ 1 cuillerée à café de coriandre en poudre
★ ½ cuillerée à café de cannelle
★ ½ cuillerée à café de cumin
★ 6 à 8 raisins secs
★ ½ oignon

1 Dans un saladier, mélangez les lentilles, la farine, les épices et les raisins secs.

2 Faites revenir l'oignon 3 minutes dans une poêle avec un filet d'huile d'olive. Ajoutez-le au reste des ingrédients, salez, poivrez et écrasez le tout à la main, pour obtenir une pâte moelleuse, mais pas collante.

3 Formez des boulettes, enduisez-les légèrement d'huile d'olive et faites-les revenir 10 minutes à la poêle en les retournant de temps à autre (ou passez-les 15 à 20 minutes au four à 200 °C).

4 Ajoutez 3 ou 4 boulettes dans le bol.

Sauce au tahini

· 3 min

Voir la recette p. 98.

Servez cette sauce sur les boulettes ou au centre du bol, pour pouvoir en prélever un peu à chaque bouchée.

Saveurs méditerranéennes

Quinoa

Pour 1 portion / 20 minutes

★ 80 g de quinoa
★ ½ cube de bouillon
★ 1 pincée de cumin (facultatif)

Rincez le quinoa, puis cuisez-le comme indiqué sur le paquet, en ajoutant ½ cube de bouillon dans l'eau.
Si vous le souhaitez, ajoutez aussi une pincée de cumin en poudre après la cuisson et disposez dans le fond du bol.

Houmous

/ 5 minutes

Voir recette p. 66.

Déposez 1 ou 2 cuillerées à soupe d'houmous au centre du bol, pour pouvoir en prélever un peu à chaque bouchée.

Salade grecque

Pour 1 portion / 10 minutes

★ 6 à 8 tomates cerises coupées en deux
★ Quelques tranches de concombre
★ 4 ou 5 olives dénoyautées et coupées en deux
★ Quelques dés de feta
★ 1 tranche d'oignon rouge hachée
★ Quelques feuilles de persil
★ Huile d'olive
★ Jus de citron
★ Origan (facultatif)

Arrosez les ingrédients d'un filet d'huile d'olive et d'un peu de jus de citron pressé. Salez, poivrez, et saupoudrez d'un peu d'origan séché si vous le souhaitez.

Pousses d'épinards

Pour 1 portion / 2 minutes

★ 1 poignée de jeunes pousses d'épinards

Vous pouvez les assaisonner de la même façon que la salade grecque ou avec une petite vinaigrette.

Mes bols-repas
pour l'automne & l'hiver

À LA SAISON FROIDE, J'AIME ME FAIRE PLAISIR AVEC DES INGRÉDIENTS NOURRISSANTS
ET GOURMANDS, POUR UNE DOSE D'ÉNERGIE SUFFISANTE FACE À LA GRISAILLE, MAIS AUSSI
AVEC DES SAVEURS ASIATIQUES QUI M'OFFRENT UN PEU D'ÉVASION. VOICI QUELQUES IDÉES
DE BOLS-REPAS BIEN FOURNIS. N'HÉSITEZ PAS À LES ADAPTER À VOTRE APPÉTIT, ET À Y AJOUTER
LES ASSAISONNEMENTS QUI VOUS FONT ENVIE (SEL, POIVRE, SAUCES MAISON...).

Ces bols correspondent à une portion
généreuse pour une personne. Vous
pouvez bien sûr modifier légèrement
les quantités selon votre appétit.

Saveurs automnales

Patate douce et carottes rôties à l'huile de coco

Pour 1 portion 🥄 10 min 🫕 30 min

★ ½ patate douce (petite ou moyenne)
★ 1 ou 2 belles carottes
★ 1 cuill. à café d'huile de coco

1 Préchauffez le four à 200 °C. Épluchez les légumes, découpez-les en rondelles de 1 cm et étalez-les dans un plat à gratin ou sur une plaque de four.

2 Badigeonnez les rondelles de légumes avec l'huile de coco. Salez, poivrez.

3 Enfournez pour environ 30 minutes, jusqu'à ce que les morceaux soient bien tendres. Vous pouvez les retourner en cours de cuisson.

Petits champignons sautés aux herbes

Pour 1 portion 🥄 5 minutes 🫕 10 min

★ Quelques champignons de Paris blancs, bruns ou portobello
★ 1 cuill. à soupe d'huile d'olive
★ 1 échalote hachée
★ Sel, poivre, herbes aromatiques

Nettoyez et découpez les champignons. Dans une poêle, mettez un peu d'huile d'olive à chauffer et faites dorer l'échalote. Ajoutez les champignons, du sel, du poivre et un peu d'herbes de votre choix. Faites revenir en remuant régulièrement jusqu'à ce que la chair des champignons soit bien tendre.

Tempeh fumé caramélisé

Pour 1 portion 🥄 2 min 🫕 3 min

★ 100 g de tempeh
★ 1 cuill. à café de sauce soja
★ 1 cuill. à café de miel ou de sirop sucrant (riz, érable, agave...)

Découpez le tempeh en tranches. Dans une poêle, mettez un peu d'huile à chauffer et faites revenir le tempeh pendant quelques instants. Ajoutez la sauce soja et le sirop en remuant constamment, jusqu'à ce que le liquide soit absorbé et l'extérieur du tempeh légèrement caramélisé.

Riz basmati au gomasio

Pour 1 portion 🥄 5 min 🫕 10 min

★ 50 g de riz

Portez de l'eau salée à ébullition dans une casserole. Faites-y cuire le riz une dizaine de minutes, puis égouttez-le. Aromatisez-le avec un peu de gomasio (voir p. 95), et déposez quelques cuillerées dans le bol.

Roquette

Pour 1 portion 🥄 1 min

★ Quelques feuilles de roquette
★ 1 filet de jus de citron ou de crème de balsamique

Courgette vapeur

Pour 1 portion ✎ 5 min 🍲 10 min

★ 1 courgette (ou ½, selon sa taille)

Lavez la courgette, épluchez-la si vous le souhaitez et découpez-la en rondelles de 1 cm au maximum. Faites-la cuire à la vapeur 8 à 10 minutes.

FAIRE CUIRE À LA VAPEUR

Des appareils spécifiques existent, ou des récipients pour une cuisson vapeur express au four à micro-ondes. On peut aussi tout simplement placer un panier ou un chinois surmonté d'un couvercle au-dessus d'une casserole d'eau bouillante.

PROLONGER LA SAISON

La saison des courgettes se termine au début de l'automne. À partir d'octobre-novembre, n'hésitez pas à opter pour des tranches surgelées, que l'on cuisine de la même façon.

Butternut rôtie aux épices et au miel

Pour 2 personnes

✎ 15 min 🍲 45 min

★ ½ courge butternut
★ 1 cuill. à café d'huile d'olive
★ 1 cuill. à café de miel
★ Épices de votre choix (cannelle et cumin, curry, noix de muscade, ras-el-hanout…)

1 Préchauffez le four à 200 °C.

2 Épluchez la courge et découpez la chair en petits dés (plus ils seront petits, plus le temps de cuisson sera court).

3 Versez ces morceaux dans un plat à gratin. Arrosez d'un filet d'huile d'olive, ajoutez le miel, et mélangez à la main pour imprégner tous les dés. Saupoudrez d'épices et enfournez pour environ 45 minutes (jusqu'à ce que la butternut soit tendre).

Quinoa au chèvre et graines de courge

Pour 1 portion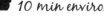

✎ 10 min 🍲 10 min environ

★ 60 à 80 g de quinoa
★ 30 g de fromage de chèvre émietté (bien affiné ou plus jeune, selon vos goûts)
★ 1 cuill. à soupe de graines de courge
★ Quelques tranches de courgette cuites (facultatif)

Faites cuire le quinoa selon les indications du paquet. Mélangez-le au fromage de chèvre, aux graines de courge, ainsi qu'aux morceaux de courgette.

Saveurs asiatiques

Shiitakés, épinards et brocoli sautés au sésame

Pour 1 portion 5 min 🍲 10 min

★ Quelques champignons shiitake
★ Quelques fleurons de brocoli
★ 1 poignée d'épinards frais (ou quelques blocs d'épinards surgelés)
★ 1 cuill. à café de sauce soja
★ 1 filet de sirop d'agave (ou miel)
★ 1 pincée de graines de sésame
★ Herbes aromatiques (facultatif)

1 Nettoyez les champignons avec un chiffon humide et découpez-les en morceaux grossiers.

2 Mettez à chauffer un peu d'huile dans une poêle et faires-y revenir quelques minutes les champignons, les brocolis et les épinards. En fin de cuisson, ajoutez la sauce soja, le sirop et les graines de sésame, et faites revenir à nouveau 2 ou 3 minutes.

3 Lorsque la poêlée est prête, mélangez-la aux nouilles de riz et ajoutez un peu de persil, de ciboulette ou de coriandre si vous le souhaitez.

Œufs durs

Pour 1 portion 🍲 10 minutes

★ 2 œufs

Déposez les œufs dans une casserole pleine d'eau froide. Portez à ébullition, puis laissez cuire 7 minutes. Laissez les œufs tiédir quelques minutes dans un bol d'eau froide avant de les écaler. Servez-les coupés en deux dans le bol, accompagnés si vous le souhaitez d'un peu de moutarde ou de la sauce de votre choix.

Nouilles de riz brun ou de sarrasin

Pour 1 portion 2 min
🍲 3 min environ

★ 80 g de nouilles de riz
★ 1 filet d'huile de sésame

Faites cuire les nouilles selon les indications du paquet. Rincez-les à l'eau froide, égouttez-les et ajoutez l'huile avant de bien mélanger.

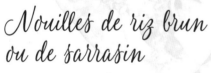

Saveurs japonaises

Riz demi-complet au beurre de miso

Pour 1 portion 🥄 10 min 🍲 20 min

★ 60 g de riz
★ 1 cuill. à soupe d'huile de coco
★ 1 cuill. à soupe bombée de pâte de miso blanc (shiro miso)

Versez le riz dans une grande casserole d'eau froide. Portez à ébullition et laissez cuire 20 minutes à feu moyen. Égouttez et rincez. Dans un petit bol, mélangez l'huile de coco et la pâte de miso jusqu'à former une crème homogène. Versez-la dans le riz et remuez bien pour que tous les grains soient imprégnés. Saupoudrez de furikake (voir p. 94).

Pak-choï vapeur à l'ail

Pour 1 portion 🥄 5 min 🍲 5 min

★ 1 pak-choï (ou ½, selon sa taille)
★ ½ gousse d'ail

Lavez, puis coupez le pak-choï en deux. Déposez-le dans un panier vapeur ou dans un chinois placé au-dessus d'une casserole d'eau bouillante. Émincez l'ail et versez les morceaux sur le chou. Arrosez d'un filet d'huile de sésame et d'un filet de sauce soja, couvrez, puis laissez cuire environ 5 minutes.

Tofu mariné poêlé

Pour 1 portion 🥄 10 min 🥣 40 min au minimum 🍲 3 à 5 min

★ 100 g de tofu ferme nature ou fumé en dés
★ 1 cuill. à soupe de sauce soja
★ 1 cuill. à café de miel liquide (ou de sirop sucrant)
★ 1 tranche de gingembre râpé

1 La veille, ou quelques heures avant (au plus tard 40 minutes avant le repas), découpez le tofu et déposez-le dans un plat creux.

2 Dans un petit bol, mélangez la sauce soja, le miel et le gingembre. Versez ce mélange sur le tofu, en veillant à ce que chaque morceau en soit imbibé.

3 Laissez reposer au frais, en mélangeant si possible de temps en temps.

4 Au moment de préparer le repas, retirez les morceaux de tofu, égouttez-les bien, puis faites-les revenir dans une poêle légèrement huilée. Laissez dorer quelques minutes en remuant. Servez dans le bol, arrosé du reste de la marinade.

Avocat

Pour 1 portion 🥄 3 min

★ ½ avocat

Découpez l'avocat en tranches ou en dés et ajoutez-les dans le bol, éventuellement arrosé d'un petit filet de jus de citron et d'un peu de furikake.

Lunch boxes

EN MANQUE D'INSPIRATION POUR VOS PIQUE-NIQUES ET VOS GAMELLES? VOICI QUELQUES EXEMPLES DE LUNCH BOXES ADAPTÉES AUX SAISONS, POUR CHANGER DU SEMPITERNEL SANDWICH JAMBON-BEURRE OU POULET-CRUDITÉS. ARMEZ-VOUS DE BOÎTES ALIMENTAIRES À EMPORTER ET AJOUTEZ UN PEU DE GOURMANDISE À VOTRE QUOTIDIEN!

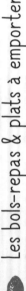

Les bols-repas & plats à emporter

Menu printemps-été n°1

Brochettes « caprese »

* 6 tomates cerises
* 6 feuilles de basilic
* 3 billes de mozzarella
* Huile d'olive, vinaigre balsamique

Sur des mini-piques pour apéritifs, enfilez 1 tomate cerise, 1 feuille de basilic, 1 bille de mozzarella, 1 autre feuille de basilic et 1 autre tomate cerise. Conservez ces piques dans un petit bocal ou une petite boîte de conservation et prévoyez si vous le souhaitez un petit récipient à sauce avec un mélange d'huile et de vinaigre pour tremper vos piques lors de la dégustation.

Watermelon Fizz
(voir. p. 172)

Transportez ce soda dans une gourde que vous conserverez au frais, ou dans une bouteille isotherme.

Wraps méditerranéens

* 1 ou 2 soccas, crêpes de sarrasin, tortillas...
* Houmous (voir p. 66)
* Quelques tranches d'aubergines
* 2 tranches de tofu ferme nature + pesto (voir p. 96) ou 2 tranches de tofu lactofermenté au pesto
* 3 ou 4 tomates séchées à l'huile d'olive
* Quelques feuilles de roquette fraîche
* Huile d'olive
* Sel marin, poivre du moulin

1 Dans une assiette creuse, badigeonnez les tranches de tofu d'une couche de pesto, et laissez mariner.

2 Enduisez les tranches d'aubergines d'un filet d'huile d'olive et incisez-les légèrement au couteau, en surface. Faites-les cuire dans une poêle huilée jusqu'à ce qu'elles soient tendres, ou en étalant les tranches dans un plat à gratin au four (environ 30 minutes à 180 °C).

3 Versez les tranches de tofu et l'enrobage de pesto dans une poêle huilée, et poêlez le tout pendant 2 ou 3 minutes.

4 Tartinez les wraps de houmous, puis complétez avec l'aubergine cuite, les tranches de tofu, les tomates séchées et la roquette.

5 Enrobez de film étirable et conservez au réfrigérateur. Consommez froid ou réchauffé (four ou micro-ondes).

Les proportions correspondent à un repas copieux pour 1 personne. Vous pouvez bien sûr modifier légèrement les quantités selon votre appétit.

Salade printanière

★ 4 jeunes asperges vertes
★ 1 œuf
★ Jeunes pousses (mesclun, mâche, roquette...)
★ 3 ou 4 radis
★ Huile d'olive
• Vinaigrette (voir recette p. 96)

1 Dans une casserole d'eau froide, mettez l'œuf à cuire et laissez-le 7 à 10 minutes après l'ébullition. Faites-le refroidir dans un bol d'eau fraîche avant de l'écaler.

2 Pendant ce temps, lavez les asperges et cassez ou coupez la partie la plus dure du bas de la tige. Faites bouillir de l'eau salée dans une casserole, puis mettez-les à cuire 7 ou 8 minutes, jusqu'à ce que la tige se soit attendrie. Égouttez et réservez.

3 Lavez et coupez les radis en rondelles. Dans un petit pot hermétique, versez les ingrédients de cette salade par couches, pour une meilleure conservation : d'abord les radis, puis l'œuf émietté, puis les asperges découpées en tronçons, et enfin les pousses vertes. Gardez au frais.

4 Pour la vinaigrette, prévoyez un mini-récipient à sauce que vous répartirez dans la salade au moment de la manger.

Compote fraise-rhubarbe
(voir p. 153)

Transportez la compote dans un petit pot à couvercle hermétique.

Sandwich courgette & chèvre

★ ½ courgette
★ ½ cuill à café de miel
★ ¼ de baguette rustique (épeautre, multi-céréales...) ou 2 belles tranches de pain (épeautre, seigle, multi-céréales...)
★ 1 petit chèvre frais
★ Huile d'olive
• Pignons de pin
★ Sel marin, poivre du moulin

1 Faites chauffer un filet d'huile d'olive dans une poêle.

2 Découpez la courgette en fines tranches et faites-les revenir dans la poêle environ 10 minutes, jusqu'à ce qu'elles soient tendres. En fin de cuisson, ajoutez un filet de miel, salez, poivrez, mélangez et laissez mijoter encore quelques secondes.

3 Coupez le morceau de baguette en deux dans la longueur et tartinez les deux faces avec une couche de chèvre frais. Ajoutez les tranches de courgettes cuites et saupoudrez de pignons de pin.

4 Refermez le sandwich et emballez-le dans du film étirable ou une pochette spéciale. Conservez au réfrigérateur.

Les bols-repas & plats à emporter

Menu automne-hiver n°1

Salade de lentilles

- ★ 60 g de lentilles cuites, en conserve
- ★ 1 tranche d'oignon rouge (environ 10 g)
- ★ 1 cuill. à soupe de câpres
- ★ 1 pincée de cumin
- ★ 1 ou 2 cuill. à soupe de vinaigrette moutarde-miel (voir recette p. 96)
- ★ Sel marin, poivre du moulin

Égouttez les lentilles, hachez l'oignon en petits morceaux, puis mélangez tous les ingrédients dans un contenant à fermeture hermétique. Cette salade se conserve parfaitement 2 ou 3 jours au réfrigérateur.

Yaourt de soja à la confiture

- ★ Yaourt de soja nature (maison si possible, voir recette p. 157)
- ★ Confiture (sans sucre raffiné si possible, voir recette p. 60)

Ajoutez une cuillerée à soupe de confiture dans un petit pot de yaourt maison, ou emportez un yaourt du commerce et un peu de confiture à part dans un petit pot.

Sandwich aux carottes fondantes épicées et houmous

- ★ ¼ de baguette multi-céréales ou 1 petit pain individuel
- ★ 300 g de carottes
- ★ ½ cuill. à café de cumin
- ★ ½ cuill. à café de curry
- ★ 1 bonne pincée de paprika fumé
- ★ Persil plat ou coriandre
- ★ Houmous maison (voir recette p. 66)
- ★ Huile d'olive
- ★ Sel marin, poivre du moulin

1 Préchauffez le four à 230 °C. Découpez les carottes en julienne (allumettes), puis versez-les dans un plat où vous ajouterez un filet d'huile d'olive et les épices, du sel et du poivre. Mélangez pour que toutes les carottes soient bien enrobées, puis étalez-les sur une plaque de four recouverte de papier sulfurisé, ou dans un grand plat à gratin.

2 Enfournez pour environ 30 minutes, ou jusqu'à ce qu'elles soient bien tendres. Pendant ce temps, préparez le sandwich : coupez le pain en deux dans la longueur et tartinez chaque moitié de houmous, avec quelques feuilles de persil ou de coriandre.

3 Lorsque les carottes sont prêtes, ajoutez-les dans le sandwich. Quand il a refroidi, emballez bien le sandwich.

Les bols-repas & plats à emporter

Salade de champignons persillés

* 150 g de champignons de Paris
* 1 bouquet de persil
* 1 gousse d'ail
* ¼ oignon
* Huile d'olive
* Sel marin, poivre du moulin

1 Découpez les champignons en grosses tranches. Pelez et hachez l'ail et l'oignon.

2 Faites chauffer un filet d'huile d'olive dans une poêle, puis faites-y revenir l'oignon pendant 2 minutes. Ajoutez l'ail et laissez-le dorer 1 minute, puis les champignons et le persil. Salez, poivrez. Faites revenir pendant 5 à 10 minutes, jusqu'à ce que les champignons prennent une couleur plus foncée et une consistance bien tendre.

3 Dégustez froid ou réchauffé, selon vos préférences.

Compote de pomme à la cannelle *(voir p. 152)*

Transportez la compote dans un petit pot à couvercle hermétique.

Nouilles de patate douce au guacamole et œufs

* 1 patate douce de taille moyenne
* 1 ou 2 cuill. à soupe de guacamole maison (voir recette p. 64)
* 2 œufs
* Huile d'olive
* Ciboulette fraîche ou séchée
* Crème de balsamique
* Sel marin, poivre du moulin

1 Préchauffez le four à 200 °C. Épluchez la patate douce, puis découpez-la en tagliatelles grâce à un éplucheur à spirales ou un économe.

2 Versez le tout dans un grand plat à gratin, arrosez d'un filet d'huile d'olive, salez, poivrez et mélangez bien. Étalez en une couche uniforme et enfournez pour environ 15 à 20 minutes, jusqu'à ce que les lamelles soient bien tendres, en mélangeant de temps en temps.

3 En parallèle, faites cuire les œufs durs : couvrez-les d'eau dans une casserole, et portez à ébullition, puis laissez-les cuire 7 minutes.

4 Écalez les œufs et préparez la boîte avec les nouilles de patate douce cuites, du guacamole, les œufs coupés en deux, avec un peu de ciboulette et de crème de balsamique par-dessus.

Les proportions correspondent
à un repas copieux pour
1 personne. Vous pouvez bien
sûr modifier légèrement les
quantités selon votre appétit.

ENCAS &

gourmandises

Un petit creux ? Des envies gourmandes pour le goûter ?
Les recettes de ce chapitre vous permettront de remplacer
avantageusement les grignotages industriels par des encas
– salés et sucrés –, sains, naturels et riches en nutriments.

Chips croustillantes au four

UN PLATEAU TÉLÉ, UN PIQUE-NIQUE, UN APÉRITIF ENTRE AMIS.. IL N'Y A AUCUNE RAISON DE RENONCER AU PLAISIR PONCTUEL DE CROQUER DANS QUELQUES CHIPS! LA VERSION MAISON AU FOUR DEMANDE PLUS DE PATIENCE QUE L'OUVERTURE D'UN PAQUET INDUSTRIEL, MAIS ELLE EST PLUS SAINE ET BIEN PLUS SATISFAISANTE. POUR VOUS FACILITER LE TRAVAIL, N'HÉSITEZ PAS À INVESTIR DANS UNE MANDOLINE. JE VOUS PROPOSE DE VARIER LES PLAISIRS AVEC D'AUTRES RECETTES TOUT AUSSI CROUSTILLANTES À BASE DE POMME, D'ALGUE, DE CHOU OU ENCORE DE POIS CHICHES!

Chips classiques

J'AIME LAISSER LA PEAU SUR LES POMMES DE TERRE : CELA DONNE À CES CHIPS
UN PETIT CÔTÉ RUSTIQUE ! OPTEZ POUR UNE VERSION CLASSIQUE AU SEL, OU INSPIREZ-VOUS
DE VOS MARQUES PRÉFÉRÉES POUR LES AROMATISER : HERBES, PAPRIKA FUMÉ, ÉPICES MEXICAINES…

Pour 1 grand bol à partager

★ 3 ou 4 pommes
de terre moyennes

★ Huile d'olive

★ Fleur de sel

★ Optionnel :
herbes de Provence, épices…

10 min 15 min 30 min

1 Préchauffez le four à 230 °C.

2 Lavez les pommes de terre, puis découpez-les en fines tranches à l'aide d'une mandoline, ou, à défaut, d'un couteau bien aiguisé.

3 Déposez les tranches dans un grand saladier et recouvrez-les d'eau froide ; laissez-les reposer au moins 15 minutes, afin de retirer leur amidon. Videz l'eau et essuyez les pommes de terre avec un torchon propre.

4 Replacez-les dans le saladier après l'avoir essuyé ; arrosez d'un filet d'huile d'olive et salez, puis mélangez le tout avec les mains propres pour bien imprégner chaque tranche.

5 Recouvrez la grille du four de papier sulfurisé et déposez-y les tranches de pomme de terre sans les superposer. Enfournez pour environ 30 minutes, en surveillant bien : les chips doivent être sèches et bien dorées, mais pas brunies.

6 Sortez du four et dégustez immédiatement, ou laissez refroidir et conservez quelques jours dans un bocal hermétique.

VARIANTE

Vous pouvez tester cette recette avec des tranches de patates douces, pour changer un peu !

Encas & gourmandises

143

Chips de pomme

Il n'y a pas d'encas plus simple et sain que les pommes déshydratées au four, bien croustillantes et acidulées. Il faudra simplement vous armer d'un peu de patience, puisque la cuisson dure environ 1 h 30. Comme on leur laisse la peau, il est important de choisir des pommes non traitées.

Pour 1 bol

🥄 10 min 🍲 1 h 30

★ Quelques pommes bio

1 Préchauffez le four à 120 °C. Lavez les pommes et découpez-les en fines tranches à l'aide d'une mandoline, ou d'un couteau bien aiguisé.

2 Recouvrez la grille du four de papier sulfurisé et déposez-y les tranches de pomme sans les superposer. Enfournez pour environ 1 h 30 (ou jusqu'à 2 h, selon l'épaisseur des tranches) en surveillant de temps en temps, surtout si certains morceaux sont plus fins. Lorsqu'elles sont prêtes, les chips sont plus foncées et elles durcissent en refroidissant ; si elles restent un peu molles, enfournez-les à nouveau quelques minutes.

3 Dégustez-les nature ou saupoudrées d'un peu de cannelle.

Chips de chou kale au miel et sésame

Si le kale ne vous fait pas rêver, cette manière ludique de le préparer est un bon moyen de tenter l'aventure. Les chips de chou égayent l'apéritif de leur saveur originale tout en constituant un encas sain et léger.

Pour 1 bol

🥄 10-15 min 🍲 12 min

★ 1 petite botte de chou kale
★ 2 cuill. à soupe d'huile de sésame
★ 1 cuill. à soupe de miel ou de sirop d'agave
★ Quelques pincées de gomasio
★ Quelques pincées de fleur de sel

1 Préchauffez le four à 150 °C. Retirez au couteau les tiges des branches de kale. Lavez les feuilles et essuyez-les avec un torchon propre.

2 Dans un grand saladier, déposez les feuilles et ajoutez l'huile de sésame, le miel, le gomasio et le sel. Avec les mains propres, tournez le mélange et massez bien le chou pour qu'il s'en imprègne.

3 Disposez les feuilles huilées sur une plaque de four sans les superposer. Laissez cuire le kale pendant environ 12 minutes, ou jusqu'à ce que les feuilles soient croustillantes sous le doigt, mais pas noircies.

4 Sortez du four et dégustez immédiatement, ou laissez refroidir et conservez jusqu'à quelques jours dans un bocal hermétique.

Les chips de pomme, parfaites en cas d'envie sucrée !

Chips d'algue nori

BIEN QUE L'IDÉE PUISSE SEMBLER PEU APPÉTISSANTE, CETTE RECETTE EST ÉTONNAMMENT ADDICTIVE GRÂCE À SA TEXTURE ET SON PETIT GOÛT SALÉ (RIEN À VOIR AVEC LE POISSON, RASSUREZ-VOUS!).

Pour 1 bol

★ Quelques feuilles de nori pour sushi

★ Huile de sésame ou de tournesol

★ Fleur de sel

5 min 10 min

1 Préchauffez le four à 180 °C.

2 Sur une plaque, étalez du papier sulfurisé, sur lequel vous déposerez les feuilles de nori sans les superposer. À l'aide d'un pinceau alimentaire ou, à défaut, d'un doigt propre, couvrez chaque feuille d'une fine couche d'huile de sésame, puis saupoudrez d'un peu de sel.

3 Enfournez pour environ 5 à 10 minutes. Sortez du four et laissez refroidir un petit moment avant de découper les feuilles en carrés.

CONSERVATION

Ces chips ne devraient pas faire long feu dans votre cuisine. Néanmoins, si besoin, conservez-les à l'abri de l'humidité, dans une boîte hermétique.

POUR UN PEU DE PIQUANT

Si vous avez de la pâte de wasabi sous la main et que vous en aimez le goût piquant, n'hésitez pas à en mélanger une petite touche à l'huile que vous utiliserez dans cette recette. Vous pouvez aussi saupoudrer les chips de graines de sésame.

Pois chiches croustillants aux épices

QUE VOUS RECHERCHIEZ UN ENCAS CROUSTILLANT PLUS PROTÉINÉ OU PLUS ÉPICÉ,
CETTE RECETTE EST POUR VOUS. JE M'EN PRÉPARE RÉGULIÈREMENT EN HIVER
POUR AGRÉMENTER MES BOLS-REPAS OU GRIGNOTER AU GOÛTER. ADAPTEZ LA RECETTE
À VOS ENVIES EN VARIANT LES CONDIMENTS ET LEUR DOSAGE !

Encas & gourmandises

Pour 1 bol

🥄 10 min 🍲 45 min

★ 250 g de pois chiches cuits
égouttés (en conserve)

★ Huile d'olive

★ Épices de votre choix
(ras-el-hanout, cumin,
curry, paprika...)

★ Fleur de sel

1 Préchauffez le four à 200 °C.

2 Égouttez les pois chiches, essuyez-les bien avec un torchon propre et versez-les dans un saladier. Arrosez d'un filet d'huile d'olive, salez et saupoudrez d'épices à votre goût, puis mélangez bien avec les mains propres pour imprégner tous les pois de cet assaisonnement.

3 Déposez ensuite les pois chiches dans un grand plat à gratin ou sur une plaque de four recouverte de papier sulfurisé et enfournez pour 30 à 45 minutes, jusqu'à ce qu'ils aient réduit en taille et soient devenus très croustillants.

4 Sortez du four et dégustez immédiatement, ou laissez refroidir et conservez jusqu'à quelques jours dans un bocal hermétique.

Le + Santé
des pois chiches

Comme toutes les légumineuses, les pois chiches sont riches en protéines végétales, en fibres et en minéraux, et pauvres en matières grasses. Pour les rendre plus digestes, n'hésitez pas à retirer leur petite peau avant de les cuisiner.

Croquants et légèrement épicés,
les pois chiches rôtis remplacent
avantageusement les chips industrielles.

Des biscuits qui changent

FARINE DE BLÉ, BEURRE, SUCRE RAFFINÉ : LES RECETTES DE BISCUITS CLASSIQUES TOURNENT GÉNÉRALEMENT AUTOUR DE CES TROIS INGRÉDIENTS. C'EST DÉLICIEUX, MAIS PEU VARIÉ ET, À HAUTE DOSE, PAS TRÈS DOUX POUR L'ORGANISME, SURTOUT LES VERSIONS INDUSTRIELLES ! VOUS POUVEZ BIEN SÛR EFFECTUER DE LÉGÈRES VARIATIONS SUR VOS RECETTES HABITUELLES POUR LES RENDRE UN PEU PLUS RICHES EN NUTRIMENTS (SUCRE NON RAFFINÉ, FARINE COMPLÈTE OU DIFFÉRENTE..), OU VOUS LAISSER TENTER PAR DES GOURMANDISES ALTERNATIVES, COMME CELLES QUE JE VOUS PROPOSE CI-APRÈS.

Cookies d'avoine

L'AVOINE DONNE À CES COOKIES VÉGÉTALIENS MOELLEUX UNE LÉGÈRE SAVEUR DE NOISETTE, RICHE ET DOUCE. JE TRANSFORME DES FLOCONS BASIQUES EN FARINE FINE EN LES PULVÉRISANT DANS MON BLENDER, MAIS VOUS POUVEZ CHOISIR DE NE LES MIXER QUE BRIÈVEMENT POUR UNE TEXTURE MOINS HOMOGÈNE.

Pour environ 12 biscuits

- ★ 70 g de flocons d'avoine mixés en poudre
- ★ 50 g de farine de votre choix (blé, épeautre, riz...)
- ★ 80 g de sucre de coco
- ★ 1 pincée de fleur de sel
- ★ 2 cuill. à soupe d'huile de coco (désodorisée)
- ★ 1 cuill. à café d'extrait de vanille
- ★ 2 ou 3 cuill. à soupe de lait végétal

🥄 10 min 🍲 7 min

1 Préchauffez le four à 200 °C.

2 Dans un saladier, versez tous les ingrédients secs et mélangez. Ajoutez l'huile, l'extrait de vanille, puis le lait, en mélangeant petit à petit jusqu'à obtenir une pâte dense, ni trop sèche ni trop humide.

3 Formez des petites boules de pâte, puis déposez-les sur une plaque de four recouverte de papier sulfurisé en laissant un espace entre chaque (les cookies vont un peu gonfler).

4 Enfournez pendant 7 minutes, puis sortez du four et laissez reposer pendant au moins 10 minutes avant de les manipuler.

TOPPINGS

N'hésitez pas à ajouter des toppings à cette pâte basique : des morceaux de chocolat ou de noix, par exemple !

Encas & gourmandises

LE SAVIEZ-VOUS ?

Naturellement sans gluten, l'avoine est souvent victime de contaminations croisées par contact avec d'autres céréales à différentes étapes de la production. Les personnes atteintes de la maladie cœliaque ou d'une intolérance plus légère au gluten doivent donc se procurer de l'avoine garantie sans gluten, avec l'accord de leur médecin.

CONSERVATION

Une fois refroidis, vous pouvez conserver ces biscuits pendant quelques jours dans une boîte hermétique.

149

Biscuits à la purée d'amande

ICI, LA PURÉE D'AMANDE REMPLACE À LA FOIS LA FARINE ET LA MATIÈRE GRASSE.
L'INTÉRÊT DE CETTE RECETTE, OUTRE SON GOÛT, TIENT DONC À L'ABSENCE
DE GLUTEN, ET AUX PROPRIÉTÉS DE CES OLÉAGINEUX.

Pour une vingtaine de biscuits

- ★ 250 g de purée d'amande
- ★ 120 g de sucre non raffiné
- ★ 1 œuf
- ★ 1 cuill. à café d'extrait de vanille
- ★ 1 pincée de sel

⏱ 10 min 🍲 12 min

1 Préchauffez le four à 180 °C.

2 Mélangez tous les ingrédients dans un bol pour obtenir une pâte homogène et un peu sableuse.

3 Sur une plaque recouverte de papier sulfurisé, déposez des petites boules de pâte de la taille d'une noix en laissant quelques centimètres entre chaque, pour laisser les biscuits s'étaler à la cuisson.

4 Enfournez pour 12 minutes maximum, jusqu'à ce que les bords extérieurs soient dorés.

5 Sortez les biscuits du four, et ne les manipulez pas avant qu'ils aient tiédi et se soient solidifiés.

CONSERVATION

Une fois refroidis, conservez ces biscuits dans une boîte hermétique pendant quelques jours.

VARIANTES

Vous pouvez réaliser cette recette avec de la purée de noisettes, de cacahuètes ou de noix de cajou ! L'essentiel est que celle-ci soit suffisamment épaisse et consistante pour que les biscuits se tiennent.

Le + Santé
des amandes

Les amandes apportent des fibres et sont une excellente source de nutriments intéressants (calcium, magnésium, antioxydants...). Consommées dans des proportions normales, les amandes ne font pas grossir. Avec deux cookies, on en a consommé 20 g, soit la portion journalière recommandée !

Biscuits simplissimes banane-coco

On peut difficilement faire plus minimaliste que cette recette aux délicieuses saveurs exotiques, qui nécessite seulement deux ingrédients. Pas de farine, pas de sucre ni de matière grasse ajoutés : c'est la magie de la banane qui, à elle seule, lie et adoucit le mélange. Un encas sain et énergétique par excellence !

Pour environ 8 biscuits

🥄 10 min 🍲 20 min

- ★ 2 bananes
- ★ 150 g de noix de coco râpée

1 Préchauffez le four à 180 °C. Dans une assiette ou à l'aide d'un mixeur, écrasez les bananes et la noix de coco de façon à obtenir une pâte bien homogène.

2 Couvrez une plaque de papier sulfurisé et déposez-y des petits tas de pâte (1 cuillerée à soupe bombée par biscuit) que vous aplatirez légèrement pour former des disques.

3 Enfournez pour environ 20 à 25 minutes, jusqu'à ce que les bords des biscuits soient dorés.

VARIANTES

Pour des biscuits encore plus gourmands, ajoutez une poignée de pépites de chocolat noir à la pâte !

Pour plus de texture, vous pouvez remplacer 1/3 de la noix de coco râpée par des copeaux de coco.

Si vous n'aimez pas la noix de coco, vous pouvez réaliser la même recette avec des flocons d'avoine fins à la place de la noix de coco râpée.

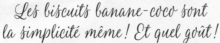

Les biscuits banane-coco sont la simplicité même ! Et quel goût !

Compotes gourmandes

LES COMPOTES SONT PARMI LES DESSERTS MAISON LES PLUS PRATIQUES AU QUOTIDIEN. VOUS POUVEZ LES PRÉPARER AVEC DES FRUITS FRAIS OU CONGELÉS. C'EST AUSSI UNE BONNE FAÇON D'UTILISER DES FRUITS TROP MÛRS. LA PLUPART SONT TRÈS RAPIDES À RÉALISER, MAIS VOUS POUVEZ AUSSI LES PRÉPARER À L'AVANCE POUR LES CONSERVER AU RÉFRIGÉRATEUR QUELQUES JOURS DANS UN POT HERMÉTIQUE, OU MÊME LES CONGELER POUR LES UTILISER UNE AUTRE FOIS.

Compote pomme-cannelle

Un grand classique léger et délicieux, si simple à réaliser qu'il serait dommage de s'en priver ! Si vos pommes sont légèrement acides ou peu sucrées, n'hésitez pas à ajouter un trait de sirop d'agave à la préparation.

Pour 4 personnes

🥄 5 min   🍲 15 min

- ★ 4 pommes
- ★ Cannelle en poudre

1 Pelez et découpez les pommes en morceaux grossiers.

2 Mettez-les à cuire à découvert dans une casserole avec un fond d'eau (environ 15 cl) en remuant régulièrement. Lorsqu'elles sont bien tendres et que l'eau s'est presque entièrement évaporée, coupez le feu.

3 Égouttez les pommes si besoin, puis saupoudrez de cannelle et écrasez le tout à la fourchette pour une compote avec morceaux, ou passez au mixeur pour une compote lisse.

Compote rhubarbe-fraise

La rhubarbe est un ingrédient naturellement très acide, c'est pourquoi il est indispensable de la sucrer ; on peut néanmoins éviter les sucres raffinés ! J'aime associer sa saveur acidulée au goût plus fruité de la fraise et à la douceur de la vanille. Cette compote, assez fluide, est délicieuse associée avec du yaourt.

Pour 6 personnes

🥄 25 min 🍲 20 min

- ★ 250 g de fraises bien mûres
- ★ 5 tiges de rhubarbe
- ★ 100 g de sucre de coco
- ★ 1 ou 2 verres d'eau
- ★ 1 cuill. à café d'extrait de vanille

1 Lavez tous les fruits. Équeutez les fraises et coupez-les en deux. Retirez les extrémités des tiges de rhubarbe et éliminez toute la peau filandreuse qui les entoure. Coupez le tout en tronçons.

2 Dans une casserole, versez les fruits coupés avec le fond d'eau et la vanille, puis faites chauffer en remuant régulièrement jusqu'à ébullition. Les fruits vont rendre leur eau et s'attendrir : laissez mijoter une quinzaine de minutes pour réduire un peu le mélange.

3 Coupez le feu et ajoutez le sucre, en ajustant la quantité selon votre goût. Si vous le souhaitez, passez la compote au mixeur pour obtenir une texture lisse.

Compote de pêche

Contrairement à la mangue et aux abricots, la pêche ne devient pas acide à la cuisson, et ne requiert donc aucun ajout de sucre. La compote est un délicieux moyen de mettre à profit celles qui ont mûri trop vite ou se sont abimées.

Pour 4 personnes

🥄 10 min 🍲 20 min

- ★ 6 belles pêches bien mûres
- ★ 1 verre d'eau
- ★ 1 cuill. à soupe d'eau de fleur d'oranger

1 Lavez les pêches, épluchez-les si vous le souhaitez, et découpez-les en petits quartiers.

2 Versez-les dans une casserole avec l'eau et faites chauffer en remuant régulièrement. Les fruits vont rendre leur eau et s'attendrir : laissez mijoter pendant une vingtaine de minutes pour réduire un peu le mélange.

3 Lorsque tout est bien cuit, coupez le feu, ajoutez la fleur d'oranger et passez la compote au mixeur si vous le souhaitez.

Beurre de pommes à la vanille

LE BEURRE DE POMMES EST UNE CRÈME FONDANTE À BASE DE POMMES.. ET DE BEURRE !
ON PEUT L'UTILISER COMME TARTINADE SUR DU PAIN, MÉLANGÉE AVEC UN PEU DE YAOURT,
OU LA DÉGUSTER À LA PETITE CUILLÈRE. SA VERSION TRADITIONNELLE DEMANDE UNE CUISSON
LONGUE ; JE VOUS EN PROPOSE ICI UNE VERSION EXPRESS, PLUS PROCHE DE LA COMPOTE
DE POMME CLASSIQUE, MAIS NÉANMOINS TRÈS GOURMANDE. JE LA RÉALISE PARFOIS
AVEC DE LA MARGARINE VÉGÉTALE DE QUALITÉ, MAIS N'HÉSITEZ PAS À VOUS FAIRE PLAISIR
AVEC DU BON BEURRE ARTISANAL ; ÇA NE FAIT PAS DE MAL DE TEMPS EN TEMPS !

Pour un pot d'environ 50 cl

- ★ 4 pommes golden
- ★ ½ citron pressé
- ★ 1 cuill. à café d'extrait de vanille
- ★ 6 cuill. à soupe de beurre doux ou de margarine
- ★ 2 cuill. à soupe de sirop d'érable
- ★ 1 grosse pincée de fleur de sel

Recette express ✦ 5 min 🍲 15-20 min

1 Pelez et découpez les pommes en morceaux grossiers.

2 Mettez-les à cuire à découvert dans une casserole avec un fond d'eau (environ 15 cl) en remuant régulièrement. Lorsqu'elles sont bien tendres et que l'eau s'est presque entièrement évaporée (après 15 à 20 minutes), coupez le feu, égouttez les pommes et transvasez-les dans un mixeur.

3 Ajoutez le jus de citron, la vanille, le beurre, le sirop et la fleur de sel, et mixez jusqu'à obtenir une texture ultra fine.

4 Versez le beurre de pomme dans un pot de verre hermétique stérilisé et conservez au réfrigérateur durant 1 ou 2 semaines, ou congelez pour quelques mois au maximum.

VARIANTE

Pour varier les saveurs, pourquoi ne pas tenter cette recette avec des poires au lieu des pommes ?

ASTUCE

Si vous aimez les épices, vous pouvez en ajouter dans la casserole pour la cuisson : une étoile d'anis étoilé, un bâton de cannelle ou quelques graines de cardamome, par exemple !

Encas & gourmandises

*Le beurre de pommes,
une gourmandise absolue
à déguster ou à offrir !*

Yaourts maison

AVEC UNE YAOURTIÈRE BASIQUE, OU MÊME SANS, IL EST TRÈS FACILE DE RÉALISER SOI-MÊME SES PETITS POTS : ON MÉLANGE DU LAIT ET DU YAOURT, ON LAISSE FERMENTER PENDANT QUELQUES HEURES ET LE TOUR EST JOUÉ. SAVIEZ-VOUS QUE CE SYSTÈME VALAIT ÉGALEMENT POUR LE LAIT DE SOJA?

Le dessert parfait : du yaourt maison, de la confiture, des fruits rouges et des éclats d'amande.

ASTUCE

Le crémeux et la tenue des yaourts que vous obtiendrez dépendent beaucoup du lait de soja que vous choisirez. Si une marque vous donne un résultat peu satisfaisant, essayez-en une autre ! Malheureusement, cette technique ne fonctionne pas pour les autres laits végétaux, qui nécessitent des agents épaississants.

Yaourts de soja maison

Les yaourts de soja maison sont bien meilleurs que la plupart de ceux du commerce ; ils sont en outre complètement personnalisables et plus économiques. Quelques essais sont parfois nécessaires pour trouver la texture idéale, mais une fois votre méthode trouvée, vous ne pourrez plus vous en passer !

Pour 7 à 8 yaourts 5 min 6-8 h

★ 1 litre de lait de soja nature
  à température ambiante
★ 1 yaourt nature (soja, vache, brebis...)

CONSERVATION

Vous pouvez conserver l'un de vos yaourts pour ensemencer le lait de la fournée suivante, ou reprendre un yaourt du commerce. Le tout est d'utiliser un produit le plus frais possible, donc fait maison récemment, ou à la date de péremption lointaine.

Avec yaourtière

1 Dans un récipient à bec verseur, versez le yaourt. Délayez-le en ajoutant petit à petit le lait, puis mélangez avec un fouet.

2 Versez le mélange dans les pots de la yaourtière, branchez et laissez fermenter pendant 6 à 8 heures, selon les instructions de votre machine.

3 Placez ensuite les yaourts au réfrigérateur avec leur couvercle bien fermé, pendant 12 heures.

Sans yaourtière

1 Portez le lait à ébullition dans une casserole. Laissez refroidir : un lait trop chaud tuerait les ferments.

2 Quand le lait est tiède, versez le yaourt dans un récipient à bec verseur, puis délayez-le avec un fouet en ajoutant petit à petit le lait. Versez le mélange dans des petits pots en verre.

3 Préchauffez le four à 45 °C. Remplissez un grand plat à gratin au tiers d'eau tiède. Placez les pots de yaourt dans ce plat et enfournez.

4 Éteignez le four et laissez la porte fermée pendant environ 6 heures. Sortez les yaourts et placez-les 12 heures au réfrigérateur avant de déguster.

ARÔMES

🍳 Vous pouvez aromatiser vos yaourts avec de la confiture ou de la crème de marrons. Pour cela, déposez une cuillerée à soupe de confiture dans le fond de chaque pot avant d'y verser le lait ensemencé.

🍳 Pour des yaourts au citron, ajoutez 4 gouttes d'huile essentielle de citron dans le mélange de lait ensemencé. ATTENTION : vérifiez bien que votre huile essentielle est adaptée à un usage culinaire.

🍳 Pour un léger goût de vanille, utilisez du lait de soja aromatisé à la vanille, ou ajoutez quelques cuillerées à café d'arôme de vanille dans le lait.

🍳 Essayez les yaourts à l'amande : délayez une cuillerée à soupe de purée d'amande dans le lait.

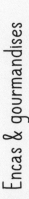

Bouchées énergétiques sans cuisson

J'AI DÉCOUVERT LE CONCEPT DES BOUCHÉES ÉNERGÉTIQUES ALORS QUE JE RECHERCHAIS UNE IDÉE D'ENCAS SAIN ET NOURRISSANT POUR MES LONGUES JOURNÉES D'ÉTUDIANTE. AVEC LEURS BONS INGRÉDIENTS, LEUR DIVERSITÉ ET LEUR SIMPLICITÉ, ELLES ONT ÉTÉ UNE VÉRITABLE RÉVÉLATION ! VOUS POUVEZ LES DÉGUSTER AVANT DE PARTIR COURIR OU NAGER, LES EMPORTER AVEC VOUS DANS UNE PETITE BOÎTE DE CONSERVATION POUR UN SNACK SUR LE POUCE, OU ENCORE EN GARDER UN STOCK À LA MAISON POUR ÉVITER LES SUCRERIES INDUSTRIELLES EN CAS DE PETIT CREUX.

Les bouchées énergétiques, un snack sain et pratique !

158

Bouchées chocolat-cacahuète

Pour 5-6 bouchées

- ★ 1 cuill. à soupe de purée de cacahuètes
- ★ 2 cuill. à soupe de flocons d'avoine
- ★ 1 cuill. à soupe d'huile de coco
- ★ 1 cuill. à café de pur cacao en poudre
- ★ 3 ou 4 dattes medjool
- ★ 1 pincée de fleur de sel

LE SAVIEZ-VOUS ?

La plupart des beurres de cacahuète du commerce contiennent de grandes quantités de sucre industriel, ainsi que des corps gras de mauvaise qualité, comme l'huile de palme. Lisez bien les étiquettes, et préférez-leur les versions 100 % cacahuète que l'on peut trouver en magasin bio.

Bouchées amande-cranberry

Pour 5-6 bouchées

- ★ 2 cuill. à soupe de purée d'amande
- ★ 4 cuill. à soupe de flocons d'avoine
- ★ 1 cuill. à café d'huile de coco
- ★ 20 g de cranberries séchées (si possible sans sucre ajouté)
- ★ 1 ou 2 dattes medjool
- ★ 1 pincée de fleur de sel

Bouchées vanille-coco

Pour 5-6 bouchées

- ★ 1 poignée de cerneaux de noix
- ★ 2 cuill. à soupe bombées de noix de coco râpée
- ★ 1 cuill. à café d'huile de coco
- ★ 3 ou 4 dattes medjool
- ★ Quelques gouttes d'extrait de vanille
- ★ 1 pincée de fleur de sel

Instructions

🥄 10 min

1 Ouvrez les dattes et retirez leur noyau.

2 Versez tous les ingrédients dans un mixeur ou un blender et mélangez. Faites des pauses si nécessaire pour racler les parois, jusqu'à obtenir une pâte un peu molle et collante, même si elle n'est pas vraiment homogène.

3 Formez des petites boules avec les mains. Placez les bouchées au réfrigérateur pour les durcir, et conservez-les ainsi jusqu'à quelques jours, ou congelez-les pour pouvoir les conserver quelques mois.

QUELLES DATTES CHOISR ?

Le moelleux supérieur des dattes medjool est important ici pour que les ingrédients adhèrent bien entre eux et que la consistance des bouchées soit agréable. Les dattes mazafati sont de très bonne qualité, mais elles sont plus petites, donc il vous faudra pratiquement doubler la quantité recommandée. Si vous n'avez accès qu'aux classiques deglet nour, moins charnues et plus sèches, laissez-les tremper quelques heures dans l'eau tiède pour les réhydrater.

Encas & gourmandises

Gâteaux aux fruits & légumes

JE NE POURRAIS PAS ME PASSER D'UN BON GÂTEAU DE TEMPS EN TEMPS,
MÊME QUAND JE N'AI RIEN DE PARTICULIER À CÉLÉBRER ! MAIS JE PRENDS LE TEMPS DE LES PRÉPARER
MOI-MÊME, ET JE VEILLE TOUJOURS À LES RENDRE INTÉRESSANTS SUR LE PLAN NUTRITIONNEL :
VARIÉTÉ DANS LES FARINES, SUCRES NON RAFFINÉS, MATIÈRES GRASSES VÉGÉTALES..

UNE AUTRE MANIÈRE ORIGINALE D'AJOUTER UNE TOUCHE « SANTÉ » À UN GÂTEAU EST
D'Y INCORPORER UNE BELLE PROPORTION DE FRUITS ET LÉGUMES. QU'ILS PARFUMENT LA PÂTE
OU LUI APPORTENT SON MOELLEUX INCOGNITO, CE SONT DES ALLIÉS ASTUCIEUX ET SAINS !

Le brownie de patate douce est sans doute l'une de mes recettes préférées, toutes catégories confondues !

Le + Santé
de la patate douce

La patate douce est l'amie des digestions sensibles. Riche en fibres solubles, elle apaise les intestins irritables en créant une sorte de gel qui diminue l'inconfort.

160

Brownie végétal à la patate douce

UTILISER DE LA PATATE DOUCE COMME INGRÉDIENT PRINCIPAL D'UN GÂTEAU PEUT SEMBLER SURPRENANT DE PRIME ABORD. ET POURTANT, SA TEXTURE, SON GOÛT RICHE, LÉGÈREMENT SUCRÉ FONT MERVEILLE DANS CE BROWNIE BIEN MOELLEUX. SA PRÉPARATION DEMANDE UN PEU PLUS DE TEMPS QUE LES BROWNIES CLASSIQUES, MAIS N'EST PAS COMPLIQUÉE. RÉSERVEZ CETTE RECETTE POUR UN WEEK-END SI VOS SEMAINES SONT TROP CHARGÉES !

Pour 1 moule de 20 x 20 cm environ

★ 450 g de patate douce

★ 180 g de chocolat noir (75 % de cacao au minimum)

★ 70 g d'huile de coco + un peu pour les patates douces

★ 1 cuill. à café d'extrait de vanille

★ 40 g de sucre de coco

★ 2 cuill. à soupe de sirop d'agave ou de miel

★ 100 g de farine d'épeautre

★ 30 g de poudre de noisettes

★ 1 bonne pincée de sel

🥄 30 min 🍲 50 min

1. Préchauffez le four à 200 °C. Épluchez les patates douces, coupez-les en tranches, badigeonnez-les d'un peu d'huile de coco fondue et enfournez-les sur une plaque ou dans un plat à gratin pour environ 30 minutes, ou jusqu'à ce que leur chair soit tendre.

2. Sortez-les, baissez la température à 180 °C, mais n'éteignez pas le four. Faites-y fondre le chocolat, le sucre, le sirop et l'huile de coco au bain-marie.

3. Pendant ce temps, mixez 250 g de patates douces cuites pour obtenir une purée.

4. Quand le mélange au chocolat est fondu, versez-le dans un saladier avec la purée de patate douce et le reste des ingrédients. Battez le tout jusqu'à obtenir une pâte homogène, crémeuse et un peu collante. Versez la pâte dans un moule plat huilé et enfournez pour environ 20 minutes.

5. Après la cuisson, laissez reposer le gâteau au moins 15-20 minutes avant de le manipuler.

ASTUCE

Conservez ce brownie au réfrigérateur pour qu'il se consolide bien, et réchauffez-le légèrement au four ou au micro-ondes avant de le déguster !

Encas & gourmandises

Gâteau léger à la compote

LA COMPOTE EST MAGIQUE DANS LES GÂTEAUX : ELLE APPORTE TANT DE MOELLEUX
QU'ELLE PEUT REMPLACER LA MATIÈRE GRASSE ! LE RÉSULTAT EST PLUS MAIGRE
ET PLUS RICHE EN FIBRES QU'UNE PÂTISSERIE CLASSIQUE, TOUT EN ÉTANT DÉLICIEUSEMENT
FONDANT. CETTE RECETTE BASIQUE ET TRÈS RAPIDE EST IDÉALE POUR SE LANCER !

Pour 1 moule à cake

- ★ 200 g de farine d'épeautre semi-complète
- ★ 350 g de compote de pomme (ou autre) sans sucre ajouté
- ★ 50 g d'huile de coco (désodorisée)
- ★ 80 g de sucre non raffiné de votre choix
- ★ 2 gros œufs
- ★ 1 cuill. à soupe de levure chimique
- ★ 1 cuill. à café d'extrait de vanille
- ★ 1 pincée de sel

🥄 10 min 🍲 30 min

1 Préchauffez le four à 180 °C. Dans un saladier, mélangez tous les ingrédients jusqu'à obtenir une pâte homogène.

2 Versez dans un moule à cake huilé et enfournez pour environ 30 à 40 minutes, jusqu'à ce qu'une pointe de couteau piquée dans le gâteau ressorte sèche.

Une gourmandise légère et moelleuse !

VARIANTES

Pour une saveur automnale, optez pour une compote pomme, pomme-poire ou pomme-châtaigne, et ajoutez 1 cuillerée à café de cannelle en poudre. Les plus aventureuses pourront même remplacer une partie de la compote par de la purée de carotte ! Pour un effet plus estival, j'aime préparer une version pomme-fraise, éventuellement additionnée des zestes d'un citron.

Flan à la courge butternut

COMME LA PATATE DOUCE, LA COURGE BUTTERNUT, OU DOUBEURRE, SE PRÊTE PARTICULIÈREMENT BIEN AUX PRÉPARATIONS SUCRÉES. SA SAVEUR DOUCE DE NOISETTE EST ICI MARIÉE AU GOÛT CRÉMEUX ET DISCRET DU LAIT DE COCO — UNE SORTE DE MÉLANGE ENTRE L'AUTOMNE ET LES TROPIQUES, QUI FONCTIONNE ÉTONNAMMENT BIEN !

IDÉALEMENT, IL FAUDRAIT FAIRE CUIRE LA COURGE UNE HEURE AVANT, OU LA VEILLE AU SOIR, POUR POUVOIR L'INCORPORER À LA PÂTE SANS QU'ELLE SOIT TROP CHAUDE.

Pour 1 moule carré de 20 x 20 cm environ

★ 500 g de chair de butternut

★ 3 œufs

★ 80 g de sirop d'agave, de riz, d'orge, de fleur de coco...

★ 20 cl de lait de coco

★ 1 cuill. à café d'extrait de vanille

🥄 20 min 🍲 55 min

1 Ouvrez et videz la courge, découpez-en 500 g en petits cubes et faites-les cuire environ 15 minutes à la vapeur, ou jusqu'à ce qu'ils soient tendres. Égouttez et laissez refroidir.

2 Quand la butternut a tiédi, préchauffez le four à 180 °C. Dans un blender, mixez les œufs avec le sirop, le lait de coco et la vanille. Ajoutez la courge cuite et mixez bien à nouveau jusqu'à obtenir une texture qui vous convienne, avec encore quelques morceaux, ou lisse.

3 Versez la préparation dans un moule huilé et enfournez pendant environ 40 minutes : le cœur du flan doit être bien pris. Dégustez tiède ou froid et conservez le plat au réfrigérateur.

ASTUCE

Comme un flan aux œufs, ce flan sans farine n'a pas beaucoup de tenue (je le prélève généralement à la cuillère pour m'en servir dans un bol !). Pour un résultat présentable, répartissez l'appareil dans quatre petits ramequins. Vous pouvez aussi ajouter 50 g de farine de votre choix et 50 g de maïzena pour une texture plus ferme.

La courge butternut est délicieuse en version sucrée !

163

Bâtonnets glacés aux fruits

NUL BESOIN DE SORBETIÈRE OU DE PROCÉDÉS COMPLIQUÉS POUR PROFITER DE DÉLICIEUX SORBETS MAISON. UN MOULE À BÂTONNETS, UN BLENDER, ET LE TOUR EST JOUÉ ! POUR CHANGER DES GLACES AU SIROP OU AU JUS, J'AIME VARIER LES GOÛTS ET LES TEXTURES EN MIXANT DES FRUITS ET AROMATES DE TOUTES SORTES, COMME DANS UN SMOOTHIE. QUAND LES INGRÉDIENTS SONT BIEN MÛRS, IL N'EST SOUVENT PAS NÉCESSAIRE D'AJOUTER DU SUCRE !

VOUS POUVEZ RÉALISER LES RECETTES CI-DESSOUS AVEC DE L'EAU MINÉRALE. POUR MA PART, JE PRÉFÈRE UTILISER DE L'EAU DE COCO LORSQUE C'EST POSSIBLE : SA SAVEUR LÉGÈREMENT SUCRÉE EST TRÈS AGRÉABLE !

Sorbet melon, concombre & menthe

Pour 3-4 glaces, selon la taille des moules utilisés.

★ 120 g de melon
★ 30 g de concombre
★ 4 ou 5 feuilles de menthe fraîche
★ ½ citron vert pressé
★ 10 cl d'eau de coco
★ 20 g de sirop d'agave (facultatif)

Sorbet ananas, mangue & coriandre

Pour 3-4 glaces, selon la taille des moules utilisés.

★ 75 g de mangue
★ 1 citron vert pressé
★ 4 feuilles de coriandre
★ 15 cl de jus d'ananas pressé
★ 1 pincée de sel
★ 20 g de sirop d'agave (facultatif)

Le + Santé
de l'eau de coco

Sa richesse en minéraux, avec une composition isotonique très similaire au plasma sanguin, la rend idéale pour réhydrater l'organisme en cas de chaleur ou d'effort.

Sorbet orange banane gingembre

Pour 3-4 glaces, selon la taille des moules utilisés.

★ 100 g de banane
★ ½ citron vert pressé
★ 10 cl de jus d'orange frais
★ 1 pincée de sel
★ 1 tranche de gingembre

Sorbet fraise & basilic

Pour 3-4 glaces, selon la taille des moules utilisés.

★ 150 g de fraises
★ ½ citron pressé
★ 4 ou 5 feuilles de basilic
★ 15 cl d'eau de coco
★ 1 pincée de sel
★ 20 g de sirop d'agave (facultatif)

Instructions

🥄 5-10 min

1 Préparez tous les ingrédients et versez-les dans un blender. Mixez jusqu'à obtenir un smoothie homogène, en ajoutant l'eau petit à petit pour atteindre la texture désirée. Goûtez et ajustez la quantité de sirop si nécessaire.

2 Filtrez le mélange obtenu si vous le souhaitez, puis versez-le dans des moules à bâtonnets et laissez durcir au congélateur pendant au moins 4 à 6 heures – idéalement, toute la nuit – avant de les déguster.

3 Pour démouler les glaces, passez le moule sous l'eau chaude pendant quelques secondes avant de tirer sur le bâton.

ASTUCE

Pour des glaces plus homogènes ou translucides, n'hésitez pas à filtrer le smoothie de base avant de le verser dans les moules. Si vous utilisez des ingrédients légèrement fibreux, comme l'ananas, ou du concombre non pelé, la texture sera plus agréable ainsi.

Variété de couleurs et de saveurs...
Faites-vous plaisir avec les mélanges
fruités de votre choix !

ENCORE PLUS DE GOURMANDISE...

Envie de textures plus consistantes ? Privilégiez les fruits riches, comme la banane ou la mangue. Pensez aussi à l'avocat, qui apporte beaucoup de crémeux et s'accorde très bien aux saveurs vertes ou tropicales. Enfin, le lait de coco et les yaourts nature de toute sorte rendront également vos glaces plus épaisses tout en adoucissant leur saveur.

BOISSONS

froides & chaudes

Des jus « healthy » aux chocolats chauds en passant
par les laits végétaux et les tisanes, les boissons font
partie intégrante d'une alimentation gourmande
et variée ! Vous trouverez dans ce chapitre quelques idées
de préparations saines pour toutes les saisons.

Jus & smoothies verts

LES JUS ET LES «GREEN» SMOOTHIES ONT LA COTE, ET CE N'EST PAS ÉTONNANT! COMME TOUTES LES BOISSONS DU GENRE, ILS CONSTITUENT UNE EXCELLENTE MANIÈRE DE DÉGUSTER PLUSIEURS PORTIONS DE FRUITS ET LÉGUMES EN UNE SEULE FOIS, CE QUI SUPPOSE UN APPORT IMPORTANT DE VITAMINES, MINÉRAUX ET ANTIOXYDANTS. LE FAIT DE CONSOMMER CEUX-CI SOUS FORME LIQUIDE EST EN OUTRE BIEN PLUS DOUX POUR LES VENTRES SENSIBLES. MAIS, SURTOUT, LA PRÉSENCE D'ÉLÉMENTS «VERTS» ALCALINISANTS TEND À NIVELER LA GLYCÉMIE MALGRÉ LES SUCRES DES FRUITS, CE QUI REND CES SMOOTHIES GLOBALEMENT PLUS SAINS QUE LES JUS CLASSIQUES.

Les vitamines contenues dans les fruits et légumes sont détruites au fil du temps, notamment à cause du contact avec l'air et/ou la chaleur. Pour cette raison, il est important d'utiliser des produits très frais, et de consommer les jus et smoothies aussi rapidement que possible, pour bien profiter de tous leurs nutriments! Si vous devez vraiment les préparer à l'avance, gardez-les au frais, dans un récipient fermé.

Jus pomme & concombre

Pour 2 portions moyennes
ou 1 portion généreuse

★ 2 petites pommes acidulées (type Fuji)
★ 1 grand concombre
★ 1 petit citron vert
★ 1 branche de menthe fraîche
★ 1 cm de gingembre (facultatif)

Découpez les pommes et le concombre en morceaux et passez-les à la centrifugeuse ou dans un extracteur de jus, avec la menthe et le gingembre. Pressez le citron vert et ajoutez-le. Servez avec quelques glaçons et buvez sans attendre.

Les smoothies verts ne sont pas qu'un aliment santé : ils peuvent aussi être très savoureux!

Smoothie kale, banane & orange

Pour 2 portions moyennes
ou 1 portion généreuse

★ 1 orange
★ 1 bonne poignée de feuilles de kale (sans tiges ni nervures) ou de baby kale
★ 1 banane fraîche ou congelée
★ 15 à 20 cl d'eau de coco

Pelez et découpez l'orange en quartiers. Versez-les dans le bol du blender avec les feuilles de kale, la banane en morceaux et l'eau de coco. Mixez jusqu'à obtenir une texture homogène, en ajustant la quantité de liquide si nécessaire. Buvez sans attendre.

Smoothie mangue, concombre & épinards

Pour 2 portions moyennes
ou 1 portion généreuse

★ 1 mangue
★ 150 g de concombre
★ 1 poignée de pousses d'épinards
★ Quelques feuilles de menthe
★ 1 citron vert pressé
★ 15 à 20 cl d'eau de coco

Lavez, pelez et découpez la mangue et le concombre en morceaux. Versez-les dans le bol du blender avec les pousses d'épinards, les feuilles de menthe, le jus de citron vert et l'eau de coco. Mixez jusqu'à obtenir une texture homogène, en ajustant la quantité de liquide si nécessaire. Buvez sans attendre.

Smoothie ananas, avocat & banane

Pour 2 portions moyennes
ou 1 portion généreuse

★ ½ avocat
★ 1 poignée de pousses d'épinards
★ 1 banane coupée en tranches
★ 20 à 25 cl de jus d'ananas pressé frais

Pelez et découpez l'avocat en morceaux. Versez-le dans le bol du blender avec les pousses d'épinards, les tranches de banane et le jus d'ananas. Mixez jusqu'à obtenir une texture homogène, en ajustant la quantité de liquide si nécessaire. Buvez sans attendre.

Le + Santé

de la spiruline,
un « superaliment » vert

Pour un supplément de minéraux et d'acides aminés précieux, ajoutez un peu de poudre de spiruline à vos smoothies. Cette microalgue très riche en protéines, en chlorophylle et en antioxydants, est particulièrement recommandée aux sportifs, aux personnes anémiques, et aux végétariens en général. Commencez par une pincée ou ½ cuillerée à café pour vous habituer : elle donnera une jolie couleur vert-bleu à vos mélanges !

Boissons d'été

POUR UN DÎNER ENTRE AMIS,
UN APÉRO SUR LE BALCON OU UNE PAUSE
FRAÎCHEUR AU BORD DE LA PISCINE,
JE RAFFOLE DES BOISSONS FRUITÉES
MAISON. BIEN MOINS SUCRÉES
QUE LES SODAS INDUSTRIELS,
ELLES SONT AUSSI PLUS VITAMINÉES
ET DÉLICIEUSEMENT PERSONNALISABLES !

ASTUCE SANTÉ

En cas de canicule,
une alimentation adaptée
peut aider notre corps à
mieux supporter la chaleur.

➡ Pensez à boire beaucoup
d'eau, même si vous
ne ressentez pas de soif.

➡ Évitez aussi au maximum
les boissons alcoolisées ou trop
riches en sucre (sodas, etc.),
qui assèchent l'organisme.

➡ Enfin, adoptez une alimentation
riche en fruits et légumes, dont
les minéraux viendront compenser
les pertes dues à la transpiration !

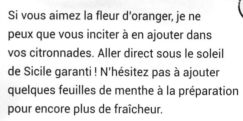

Citronnade sicilienne

Si vous aimez la fleur d'oranger, je ne
peux que vous inciter à en ajouter dans
vos citronnades. Aller direct sous le soleil
de Sicile garanti ! N'hésitez pas à ajouter
quelques feuilles de menthe à la préparation
pour encore plus de fraîcheur.

Pour 1 litre

🥄 10 min

★ Eau minérale
★ 3 citrons
★ 150 g de sirop d'agave
★ 2 cuill. à soupe d'eau de fleur d'oranger

Dans une carafe, versez le jus des
citrons pressés, le sirop d'agave et l'eau
de fleur d'oranger. Mélangez bien à l'aide
d'une spatule. Remplissez ensuite
le reste de la carafe d'eau, petit à petit,
en mélangeant bien pour que le sirop
se dissolve au mieux. Goûtez et ajustez
les quantités si nécessaire. Conservez
au réfrigérateur pendant 2 jours
au maximum. Mélangez à nouveau
si besoin avant de servir très frais.

ASTUCE

Si vos citrons sont bio, lavez bien
le zeste et ajoutez-le à la boisson,
pour plus de parfum. Laissez reposer
quelques heures avant de déguster.

Thé glacé fraise-menthe

J'aime beaucoup les thés et tisanes infusés
à froid pour les beaux jours (voir p. 175),
mais je les apprécie encore plus parfumés
aux fruits ! Le principe est le même :
les ingrédients macèrent plusieurs heures
dans l'eau au réfrigérateur, libérant petit
à petit leurs arômes. L'absence de cuisson
évite l'amertume naturelle du thé, et préserve
les propriétés des ingrédients.

Pour 1 litre

🥄 10 min 🫗 4 à 12 h

★ Eau minérale
★ 3 sachets ou 3 cuill. à café
   de thé vert (ou autre)
★ 4 ou 5 branches de menthe bio
★ 15 fraises bio
★ Sucre de canne non raffiné (facultatif)

Au moins 4 heures avant ou, idéalement,
la veille au soir, préparez une bouteille
ou une carafe d'eau fraîche. Lavez
la menthe, cassez les tiges en morceaux
et mettez-les dans l'eau. Lavez les
fraises, coupez-les en deux et écrasez-
les grossièrement dans un bol avant
de les ajouter au mélange. Laissez
infuser au réfrigérateur. Au moment
de servir, filtrez le thé et diluez-y
quelques cuillerées à soupe de sucre
si vous le souhaitez.

Virgin Piña Colada

Quoi de plus délicieusement exotique
que l'ananas et la noix de coco ?
Cette boisson à la fois crémeuse et acidulée
peut se déguster (modérément !) avec
un trait de rhum, mais je la trouve aussi
bonne sans alcool, pour un effet smoothie.

Pour 1 litre

🥄 5 min

★ 45 cl de lait de coco
★ 45 cl de jus d'ananas pressé
   (au rayon frais, ou maison)
★ Quelques glaçons

Versez le lait de coco, le jus d'ananas
et quelques glaçons dans un blender,
et mixez jusqu'à obtenir une boisson
homogène. Ajoutez un peu de sucre
si besoin. Conservez au réfrigérateur
pendant 2 jours au maximum. Mélangez
à nouveau avant de servir très frais.

Boissons froides & chaudes

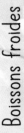

Limonade façon mojito à la framboise

Le mojito à la framboise est, avec le mojito à la mangue, mon cocktail préféré des soirs d'été. En version « virgin », il ressemble tout simplement à une limonade aux fruits et à la menthe. Hors saison, n'hésitez pas à le préparer avec des framboises surgelées, qui feront office de glaçons !

Pour 1 verre

🥄 10 min

- ★ 5 ou 6 framboises
- ★ 5 feuilles de menthe bio
- ★ 2 cuill. à soupe de sucre de canne non raffiné
- ★ 1 ou 2 citrons verts bio, selon leur taille
- ★ Eau pétillante
- ★ Glaçons

Dans un verre, versez quelques framboises, les feuilles de menthe et le sucre. Ouvrez les citrons verts, pressez-les et ajoutez le jus dans le verre, puis, si vous le souhaitez, coupez chaque moitié en quatre pour ajouter un peu de zeste au mélange. À l'aide d'un petit pilon ou d'une cuillère à café, écrasez légèrement le tout pour exprimer la saveur de la menthe et liquéfier les framboises. Versez de l'eau et quelques glaçons jusqu'à remplir le verre. Ajoutez quelques framboises en décoration si vous le souhaitez et servez très frais.

Watermelon fizz

L'association de la pastèque et du citron vert est l'un de mes grands plaisirs de l'été. Les voici réunis dans une boisson ultra rafraîchissante, inspirée d'un cocktail découvert aux États-Unis.

Pour 1 litre

🥄 10 min

- ★ 50 cl d'eau pétillante
- ★ ¼ de pastèque
- ★ 4 à 6 citrons verts
- ★ 4 à 6 cuill. à soupe de sucre de coco

Dans un blender, versez la chair de la pastèque, le jus des citrons et le sucre. Mixez jusqu'à obtenir un mélange homogène. Ajoutez l'eau pétillante, goûtez et ajustez les ingrédients si nécessaire. Versez dans une bouteille ou une gourde propre, et conservez au réfrigérateur pendant 2 jours au maximum. Mélangez à nouveau si besoin avant de servir très frais.

Le + Santé
des fruits rouges

Les fruits rouges et les baies comptent parmi les fruits les plus sains qui soient. Pauvres en sucre, ils sont en revanche particulièrement riches en flavonoïdes, des antioxydants puissants qui agissent en faveur de la santé cardiovasculaire. Ce sont également des alliés de la forme, grâce à leur teneur en vitamine C : consommez-les très frais !

Boissons froides & chaudes

*Excellent moyen de faire le plein
de vitamines, ces boissons d'été font
la part belle aux fruits de saison !*

173

Thé & café « cold brew »

VOUS AVEZ PEUT-ÊTRE VU CETTE EXPRESSION SUR LE MENU D'UNE FAMEUSE CHAÎNE AMÉRICAINE DE BOISSONS AU CAFÉ. LE TERME « COLD BREW » RENVOIE À UNE INFUSION À FROID. AU LIEU D'INFUSER QUELQUES MINUTES DANS L'EAU BOUILLANTE, LE CAFÉ OU LE THÉ SUBISSENT UNE MACÉRATION À FROID, SOIT À TEMPÉRATURE AMBIANTE, SOIT AU RÉFRIGÉRATEUR. LE PROCÉDÉ EST DONC ASSEZ LONG – AU MOINS 8 À 10 HEURES.

AVANTAGES DU « COLD BREW »

Les avantages de cette technique sont multiples, autant au niveau du goût qu'en termes de santé et de nutrition. Pour nos papilles, d'abord, un café ou un thé *cold brew* offrira des saveurs différentes, présentes, mais sans arrière-goût désagréable : l'amertume et l'acidité sont largement réduites car la plupart des composants qui les provoquent ne sont pas solubles dans l'eau froide. Lorsque l'on souhaite consommer sa boisson froide, le fait qu'elle soit déjà fraîche permet également de ne pas la diluer avec des glaçons, et donc de ne pas perdre en goût. Enfin, dans le cas du thé, l'infusion à froid conserve mieux les propriétés de la plante.

Le café cold brew est idéal pour les personnes sensibles à l'acidité, ou souhaitant consommer moins de caféine.

Café cold brew

1 Dans un récipient en verre, versez 1 dose de café moulu pour 8 doses d'eau (à ajuster selon vos goûts). Veillez à ce que tout le café soit bien mouillé par l'eau. Fermez le récipient ou couvrez-le d'un film plastique et laissez-le reposer à température ambiante pendant 12 heures.

2 Munissez-vous d'un autre récipient de contenance équivalente et utilisez-le pour récupérer le liquide que vous allez filtrer. Pour cela, versez le contenu petit à petit à travers un filtre à café en papier, sans forcer. Répétez l'opération, si nécessaire, pour écarter toute trace solide restante. Rincez le contenant initial ou préparez une grande jarre en verre, et reversez-y le café obtenu.

3 Vous pouvez conserver cette boisson pendant environ 2 semaines au réfrigérateur.

Thé ou tisane cold brew

1 Dans un récipient en verre ou dans une gourde, déposez 1 sachet de thé ou 1 cuillerée à soupe de thé en vrac pour 1 tasse d'eau.

2 Laissez reposer au moins 8 heures, puis retirez les sachets ou filtrez le liquide à l'aide d'une fine passoire ou mousseline.

3 Vous pouvez conserver cette boisson pendant une petite semaine au réfrigérateur.

FROID OU CHAUD ?

Le café et le thé *cold brew* sont idéalement consommés froids, mais vous pouvez bien sûr les boire chauds en hiver.

Pour obtenir une boisson chaude sans trop « cuire » votre infusion à froid, il existe deux solutions :
🍮 Réchauffer doucement le liquide dans une petite casserole.
🍮 Doubler les doses de café ou diminuer de moitié la proportion d'eau pour créer un concentré que vous pourrez mélanger à de l'eau chaude (sans chauffer préalablement le concentré lui-même) dans une tasse, chaque fois que vous souhaitez en boire.

Boissons froides & chaudes

175

Laits végétaux

LES LAITS VÉGÉTAUX REMPLACENT AVANTAGEUSEMENT LE LAIT DE VACHE DANS TOUTES LES RECETTES, DANS LES VERRES ET LES BOLS DE CÉRÉALES ! LES VERSIONS VENDUES EN BRIQUES SONT UNE AIDE PRÉCIEUSE POUR LES SEMAINES TRÈS CHARGÉES, SURTOUT SI VOUS EN CONSOMMEZ BEAUCOUP. NÉANMOINS, SI VOUS AVEZ UN BLENDER ET 5 À 10 MINUTES DEVANT VOUS, IL EST TRÈS INTÉRESSANT DE LES PRÉPARER VOUS-MÊME : À PART LE LAIT DE SOJA, UN PEU TROP LONG À OBTENIR SANS MACHINE SPÉCIFIQUE, ILS SONT TOUS EXTRÊMEMENT SIMPLES ET RAPIDES À FAIRE, ET GÉNÉRALEMENT BIEN PLUS ÉCONOMIQUES !

NE JETEZ PAS L'OKARA !

Les résidus du filtrage du lait, également appelés « okara », sont riches en fibres et en protéines. Ils peuvent être séchés au four : étalez-les sur une plaque et enfournez pendant environ 1 heure à 100 °C, ou jusqu'à ce que le tout soit bien sec. Vous pourrez utiliser cette poudre en remplacement d'une partie de la farine dans les gâteaux, crumbles et biscuits, dans les galettes et burgers végétariens, ou encore en en guise de chapelure dans les gratins.

La technique de base
Pour 1 litre

🥄 5 min 🍜 12 h

★ 100 g de noix, amandes, graines, céréales... nature
★ 1 litre d'eau minérale
★ 1 pincée de sel
★ 1 cuill. à soupe de sirop d'agave (facultatif)

1 La veille au soir, ou 12 heures avant la préparation, mettez les noix à tremper dans un bol d'eau fraîche.

2 Au moment de préparer le lait, récupérez les noix (mais pas l'eau de trempage, que vous pouvez utiliser pour arroser les plantes) et rincez-les, puis déposez-les dans un blender avec le reste des ingrédients.

3 Mixez à vitesse élevée pendant quelques instants, jusqu'à ce que le mélange ait pris une apparence laiteuse et que tous les morceaux solides soient bien pulvérisés.

4 Tapissez une passoire d'une étamine (ou d'un autre linge fin bien propre) et disposez-la au-dessus d'un saladier. Versez le contenu du blender à travers ce filtre, puis pressez bien l'étamine pour que tout le liquide en sorte, tandis que les fibres resteront dans le tissu.

5 Transvasez le lait obtenu dans une bouteille bien propre (idéalement, stérilisée à l'eau bouillante), et conservez-le jusqu'à 3 ou 4 jours au réfrigérateur.

PAS DE PANIQUE !

Il est normal que votre lait se déphase après quelques heures. Il suffit de secouer la bouteille avant de le consommer pour homogénéiser à nouveau le mélange.

Variations express
Pour 1 litre

🥄 5 min

★ 100 g de flocons d'avoine (ou riz, sarrasin...) ou 100 g de noix de cajou
★ 1 litre d'eau minérale
★ 1 pincée de sel
★ 1 cuill. à soupe de sirop d'agave (facultatif)

Avec les flocons de céréales et les noix de cajou, l'étape du trempage n'est pas nécessaire. Il suffit de verser les ingrédients dans le blender et de mixer jusqu'à ce que le mélange ait pris une apparence laiteuse et que tous les morceaux solides soient bien pulvérisés. Si vous utilisez des noix de cajou, le filtrage n'est pas non plus indispensable, à moins que votre blender n'ait pas suffisamment réduit les morceaux.

Le lait d'amande maison est infiniment plus crémeux et savoureux que celui du commerce. C'est mon grand favori !

Le + Santé
des noix de cajou

Riches en fibres et en calcium, les noix de cajou sont une bonne source de magnésium, de cuivre, de fer et de phosphore. Avec 583 kcal/100 g, la noix de cajou apporte 19,8 g de protéines, 21,8 g de glucides et 49,1 g de lipides.

PERSONNALISEZ VOTRE LAIT

👨‍🍳 **Ajoutez du goût.** Selon vos envies, vous pouvez aromatiser votre lait avec toutes sortes d'ingrédients : de la poudre de cacao, une bonne pincée de cannelle, de l'extrait de vanille, de l'eau de fleur d'oranger, un superaliment... Il vous suffira de l'ajouter dans le blender au moment du mixage.

👨‍🍳 **Modifiez la quantité d'eau.** La proportion que je vous propose ici, 100 g de noix pour 1 litre d'eau, est une moyenne, qui donne un résultat légèrement onctueux, mais très fluide. Pour modifier la consistance de la boisson selon vos besoins (plus légère en été, plus épaisse pour une recette...), n'hésitez pas à augmenter ou diminuer la quantité d'eau.

👨‍🍳 **Faites des mélanges.** C'est là tout l'intérêt de préparer son lait soi-même : plutôt que de se cantonner aux boissons existantes, on peut préparer des mélanges selon son stock et ses envies. Essayez par exemple de combiner l'épeautre et la noisette, l'avoine et l'amande, etc.

Lait de coco
Pour 1 litre

🥄 10 min

★ 300 g de noix de coco râpée nature
★ 1 litre d'eau minérale

Faites bouillir l'eau. Versez-la dans le blender avec la noix de coco et mixez longuement, jusqu'à obtenir un lait homogène et onctueux. Conservez au frais dans un bocal, en évitant les bouteilles à goulot très étroit. En refroidissant, le mélange va se déphaser, et la crème de coco durcir sur le dessus, ce qui rendra nécessaire de le mélanger à nouveau avec une fourchette.

Boissons chaudes gourmandes

EN HIVER, OUTRE LES TISANES QUE JE BOIS TOUT AU LONG DE LA JOURNÉE, JE SUIS TRÈS FRIANDE DE CHOCOLATS CHAUDS ET AUTRES BOISSONS GOURMANDES. NE SONT-ELLES PAS PARFAITES POUR SE RÉCONFORTER APRÈS UNE BALADE DANS LE FROID? CONSOMMEZ-LES AVEC MODÉRATION, BIEN SÛR, MAIS SANS ARRIÈRE-PENSÉE : LES RECETTES QUE JE VOUS PROPOSE SONT VÉGÉTALES ET PLEINES DE BONNES CHOSES!

Chocolat chaud épais au lait de cajou

Le lait de cajou est l'un de mes préférés pour sa texture onctueuse et son goût assez neutre. Avec une version un peu épaisse, presque comme une crème fluide, on peut se concocter un chocolat chaud à la texture ultra gourmande.

Pour 1 tasse

★ 20 cl de lait de cajou maison bien épais (voir recette p. 177)
★ 1 cuill. à café bombée de poudre de cacao pur
★ 1 cuill. à café d'extrait de vanille
★ 1 pincée de fleur de sel
★ 1 datte medjool dénoyautée ou 1 cuill. à café de sirop d'agave

Dans une petite casserole, versez tous les ingrédients et faites chauffer à feu doux en mélangeant bien, jusqu'à obtenir une préparation homogène et chaude. Servez sans attendre.

ASTUCE

La fécule de maïs est un ingrédient très pratique pour épaissir les chocolats chauds sans ajout de matière grasse. Le résultat, très onctueux, vous épatera !

Chocolat chaud amande-noisette

Un chocolat chaud saveur pâte à tartiner aux noisettes, sans l'huile de palme ! Vous pouvez remplacer le lait d'amande par tout autre lait végétal de votre choix – pourquoi pas du lait de noisettes maison ?

Pour 1 tasse

★ 20 cl de lait d'amande sans sucre ajouté
★ 1 cuill. à soupe bombée de purée de noisettes
★ 2 carrés de chocolat noir
★ 1 cuill. à café d'extrait de vanille
★ 1 cuill. à café de sucre de coco (ou autre sucre non raffiné)
★ 1 cuill. à café de fécule de maïs pour épaissir (facultatif)

Dans une petite casserole, délayez la fécule de maïs dans le lait. Ajoutez les autres ingrédients et chauffez à feu tout doux en remuant bien pendant quelques minutes, jusqu'à ce que le chocolat soit fondu. Lorsque le mélange a épaissi, coupez le feu et servez sans attendre.

DES GRUMEAUX ?

Votre fécule ne s'est pas correctement délayée et vous vous retrouvez avec des petits amas peu appétissants ? Pas de panique : il vous suffit de passer le mélange quelques secondes au blender pour qu'il retrouve une texture lisse.

179

Sweet potato latte

C'est dans un petit café de San Francisco que j'ai découvert le latte à la patate douce. Cette spécialité nous vient tout droit de Corée, où elle est considérée comme un breuvage onctueux et réconfortant au même titre que notre chocolat chaud. Passée la surprise initiale, je suis tombée amoureuse de la saveur gourmande et crémeuse de cette recette, qui rappelle la châtaigne, ainsi que de sa texture riche et épaisse.

Pour 1 tasse

- ★ 1 morceau de patate douce de la taille d'un poing ou environ 2 cuill. à soupe de purée de patate douce
- ★ 1 tasse de lait d'amande sans sucre ajouté
- ★ 1 trait de sirop d'érable
- ★ 1 cuill. à café d'extrait de vanille
- ★ 1 pincée de cannelle en poudre

1 Découpez la patate douce en petits morceaux et mettez-les à cuire dans une casserole d'eau bouillante pendant environ 15 à 20 minutes, jusqu'à ce qu'ils soient très tendres.

2 Pendant ce temps, faites chauffer le lait jusqu'à légère ébullition. Écrasez la patate douce en purée et versez-la dans un blender avec le lait chaud, le sirop d'érable et la vanille. Mixez à puissance maximale pendant au moins 30 secondes, afin d'obtenir un mélange homogène et bien mousseux.

3 Versez dans une tasse et saupoudrez d'un peu de cannelle.

Coco chai latte

Le chai, une boisson d'origine indienne composée de toutes sortes d'épices infusées dans du lait, est l'un de mes petits plaisirs d'automne. Je le prépare avec du lait de coco et sans thé – mais vous pouvez tout à fait y faire infuser un sachet avant de servir. Pour plus de fraîcheur, je vous invite à choisir des épices entières et non moulues –, ces dernières perdant plus vite leurs propriétés.

Pour 2 petites tasses

- ★ 30 cl d'eau
- ★ 1 gros bâton de cannelle
- ★ ½ gousse de vanille
- ★ 1 cuill. à soupe de baies de poivre
- ★ 2 beaux tronçons de gingembre frais
- ★ 4 petites étoiles d'anis étoilé
- ★ 4 clous de girofle
- ★ 12 baies de cardamome verte
- ★ 2 cuill. à soupe de miel ou de sirop d'agave
- ★ 3 ou 4 cuill. à soupe de lait de coco épais (Vous pouvez prélever un peu de la partie la plus crémeuse d'une conserve de lait de coco)

Dans une petite casserole, versez l'eau et toutes les épices. Portez à ébullition, couvrez et laisser mijoter 5 minutes. Ajoutez le lait de coco au mélange, puis portez à nouveau à ébullition et laissez mijoter encore 5 à 10 minutes. Coupez le feu, versez le miel en mélangeant bien, goûtez pour vérifier si le goût vous convient, puis filtrez le mélange. Servez sans attendre.

ASTUCES

Si le goût de cette boisson est un peu trop épicé pour vous, mettez davantage de lait de coco pour l'adoucir.

En été, vous pouvez aussi servir ce chai latte froid, avec quelques glaçons.

Tisanes bien-être

SI JE SUIS UNE GRANDE BUVEUSE DE TISANES PAR PLAISIR, CELLES-CI FONT AUSSI PARTIE DE MES RÉFLEXES BIEN-ÊTRE. J'Y AI TRÈS SOUVENT RECOURS LORSQUE J'AI BESOIN D'UN PETIT COUP DE POUCE POUR STIMULER MON SYSTÈME IMMUNITAIRE, APAISER MA NERVOSITÉ OU ENCORE FACILITER MA DIGESTION LORSQUE MON VENTRE ME JOUE DES TOURS, PAR EXEMPLE. EN INFUSANT DANS L'EAU BOUILLANTE, LES PLANTES LIBÈRENT EN EFFET UNE PARTIE DE LEURS COMPOSANTS, COMME DES HUILES ESSENTIELLES, DONT LES PROPRIÉTÉS PEUVENT AGIR CONTRE LES PETITS MAUX DU QUOTIDIEN.

VOICI QUELQUES IDÉES DE MÉLANGES QUE J'UTILISE RÉGULIÈREMENT ET QUE JE FAIS PRÉPARER, À PARTS ÉGALES, PAR UN HERBORISTE. CETTE PROFESSION EST MALHEUREUSEMENT DEVENUE RARE EN FRANCE, MAIS VOUS POURREZ ENCORE TROUVER DES PLANTES EN VRAC DANS CERTAINS MAGASINS BIO, PHARMACIES, AUPRÈS DE PETITS PRODUCTEURS LOCAUX OU SUR DES SITES D'HERBORISTERIES EN LIGNE. VOUS POUVEZ AUSSI BIEN SÛR VOUS FOURNIR DANS VOTRE PROPRE JARDIN AROMATIQUE ET MÉDICINAL SI VOUS EN AVEZ UN !

Préparation des tisanes - Pour 1 tasse

Déposez 1 cuillerée à café du mélange de plantes dans un filtre, que vous déposerez dans la tasse. Remplissez la tasse d'eau fraîchement bouillie, puis couvrez le récipient et laissez infuser entre 5 et 10 minutes avant de boire.

Pour la digestion

Cette tisane est l'amie des ventres sensibles, en particulier au niveau intestinal. Elle peut être consommée ponctuellement après un repas peu digeste pour soulager les symptômes, ou lorsque vous vous sentez un peu barbouillé(e). Pensez à vous en munir pour la période des fêtes !

🌿 MENTHE POIVRÉE : antispasmodique, anti-ballonnement, anti-nausées.

🌿 MÉLISSE CITRONNÉE : antispasmodique, anti-acidité.

🌿 FENOUIL : antispasmodique, anti-ballonnement, stimule l'appétit.

🌿 RACINE DE PISSENLIT : stimule le foie, la bile et l'appétit.

PRÉCAUTIONS

Les mélanges de plantes suivantes sont des remèdes d'appoint destinés à des manifestations légères et bénignes. Ils ne remplacent en aucun cas l'avis d'un professionnel de santé. Si vos symptômes vous semblent d'une intensité ou d'une durée anormales, consultez votre médecin traitant. Si vous êtes enceinte, allaitante, ou souffrez d'une pathologie particulière (anémie, problèmes rénaux, cardiaques ou circulatoires...), demandez également conseil à votre médecin avant de consommer ces tisanes.

Chaleur, légèreté et bien-être : la tisane
a tout pour elle. C'est ma boisson
quotidienne en saison froide !

Pour éliminer

Vous êtes très sujette à la rétention d'eau ?
Les infusions de plantes diurétiques
et désinfiltrantes, qui stimulent la fonction rénale
et l'élimination des liquides, peuvent vous aider
à minimiser cet effet de gonflement. Celles
que je vous propose ici restent douces, mais
il est important de ne pas en abuser, au risque
de déminéraliser votre organisme. Buvez-en 2 ou
3 tasses par jour durant 20 à 30 jours maximum
à la mi-saison, toujours avant les repas,
pour ne pas interférer avec l'assimilation des
oligoéléments contenus dans votre nourriture.

- FEUILLE DE BOULEAU : diurétique, dépurative.
- FEUILLE DE CASSIS : diurétique, anti-inflammatoire.
- ORTIE : diurétique, dépurative, anti-inflammatoire.
- RACINE DE PISSENLIT : diurétique.

Pour l'énergie

Il n'y a pas que la caféine dans la vie !
Lors de périodes très chargées, tant au
niveau physique qu'intellectuel, certaines
plantes peuvent agir en tonique pour vous
aider à conserver toutes vos facultés.
À consommer avec modération tout
de même : cette tisane ne remplace pas
une bonne nuit de repos !

- ROMARIN : anti-fatigue, stimulant
  intellectuel et global, fortifiant.
- MENTHE POIVRÉE : rafraîchissante,
  stimulant cardiaque et nerveux.
- ORTIE : tonique, reminéralisante.

Pour la détente

Voici une tisane parfaite pour le soir, à prendre
au moins $^1/_2$ heure avant de dormir, ou pour
se tranquilliser en cas de journée stressante
ou d'épreuve particulière. Les plantes qui
la constituent jouent autant sur le système
nerveux que sur l'apaisement du système
digestif, celui-ci faisant souvent les frais
de nos états d'âme !

- CAMOMILLE MATRICAIRE : calmante, sédative,
  anti-inflammatoire, antispasmodique.
- VERVEINE OFFICINALE : apaisante,
  légèrement sédative.
- TILLEUL : sédatif, antispasmodique,
  abaisse la tension artérielle.
- LAVANDE VRAIE : apaisante, relaxante,
  anti-inflammatoire, abaisse la tension artérielle.

Pour les rhumes & infections

Les plantes contenues dans cette tisane vont jouer sur tous les fronts
pour soulager les symptômes des infections respiratoires (toux,
inflammation, fièvre, fatigue…) et vous aider à guérir plus rapidement.
Je la trouve particulièrement efficace, notamment sur les rhumes
classiques, à raison de 2 ou 3 tasses par jour. Attention à la boire
plutôt en journée, le thym étant un tonique qui risquerait de perturber
votre sommeil. N'hésitez pas à ajouter le jus de ½ citron pressé
à la boisson pour renforcer son effet.

- THYM : stimulant global, antiviral, antiseptique,
  antifongique, calme la toux.
- AIGREMOINE : fébrifuge, anti-inflammatoire, antibactérienne, antivirale.
- FLEUR DE SUREAU : anti-inflammatoire des voies respiratoires, antivirale.

185

Lifestyle

Mes astuces détox

IL EXISTE DE NOMBREUSES MANIÈRES NATURELLES D'ÉPURER ET SOUTENIR SON ORGANISME LORSQUE L'ON SE SENT UN PEU BARBOUILLÉ. APRÈS UNE PÉRIODE D'ÉCARTS ALIMENTAIRES EXCESSIFS (LES FÊTES DE FIN D'ANNÉE, PAR EXEMPLE !) OU POUR RETROUVER UN CERTAIN TONUS À LA SORTIE D'UN LONG HIVER, VOICI QUELQUES-UNES DE MES ASTUCES TOUTES DOUCES ET SIMPLES.

Intox, la détox ?

Par effet de mode, le concept de détox est parfois employé sans grand discernement. En réalité, il recouvre une idée très simple : stimuler les fonctions d'élimination de l'organisme lorsque celui-ci est un peu encombré (lourdeurs, difficultés à digérer, boutons, rétention d'eau…).

Certains aliments, certaines plantes et certaines actions ont cette capacité, en agissant particulièrement sur le mouvement intestinal (élimination des déchets solides), le système urinaire (élimination des déchets azotés produits par les cellules et de l'excès d'eau), et/ou la fonction hépato-biliaire (dégradation du cholestérol, filtrage du sang). On peut donc les qualifier de « détox », puisqu'ils dynamisent les différents organes concernés et participent par la même occasion à l'expulsion des toxines plus nocives (restes de médicaments, traces de métaux lourds…). À titre d'exemple, les agrumes peuvent être considérés comme des aliments détox puisqu'ils soutiennent la métabolisation des graisses par le foie et stimulent la production de bile ; en revanche, un morceau de pain blanc à la farine raffinée, faute de fibres et d'oligoéléments, n'est pas d'une grande aide à la digestion, et n'est donc pas spécialement détox.

Bien sûr, nos organes savent fonctionner de manière autonome, et il n'est absolument pas nécessaire de constamment les stimuler chez un sujet sain. Toutefois, certaines situations (excès alimentaires, stress émotionnel, coup de mou hivernal…) peuvent provoquer des difficultés de digestion et d'élimination qui supposent un véritable inconfort. Il suffit d'écouter nos sensations : les lourdeurs d'estomac, les nausées, une diminution de l'appétit ou une envie particulière de fruits et légumes sont autant de signes possibles qu'il est temps de donner un petit coup de pouce à notre organisme. La « détox » est d'ailleurs au cœur des théories de la médecine chinoise, qui considère essentielle la stimulation du foie, organe d'épuration par excellence, à l'arrivée du printemps. La naturopathie en général fait également un lien net entre une mauvaise élimination des déchets et de nombreuses affections courantes (problèmes de peau, manque d'énergie…).

Une alimentation adaptée

La première chose à faire est bien entendu de privilégier une alimentation légère pendant quelques jours, principalement constituée de légumes et de fruits, et d'éviter les aliments très riches (viandes, laitages, pâtisseries,

---

SMOOTHIE « DÉTOX » ET REMINÉRALISANT

Dans un blender, mixez 1 poignée d'épinards frais, un peu de cresson, le jus de 2 oranges et de ½ citron, et 1 morceau de gingembre frais. Si le résultat est trop acide, ajoutez 1 cuillerée à café de miel.

plats en sauce, alcool…). Au contraire, incorporez dans vos assiettes un maximum d'ingrédients bons pour le foie : radis, artichauts, choux, agrumes, curcuma, ail, betteraves, légumes feuilles… En cas d'intestins paresseux, privilégiez en outre les aliments riches en fibres, notamment des céréales complètes.

Bouger, transpirer, respirer

Si la transpiration a avant tout une fonction thermorégulatrice, elle permet aussi d'expulser naturellement les excès de différents acides, notamment l'acide lactique. Cette élimination est importante pour le bon fonctionnement de l'organisme. La médecine chinoise, entre autres, considère que les glandes sudoripares participent à l'évacuation d'autres toxines, comme les métaux lourds, les pesticides, etc. Dans tous les cas, notez qu'un corps qui transpire est généralement un corps qui s'échauffe, ce qui accélère la circulation, améliorant les échanges de flux et la respiration cellulaire. Pour stimuler ces fonctions, offrez-vous une séance de hammam ou de sauna – sans utiliser d'antitranspirant, bien sûr ! Marchez et respirez au grand air pour vous oxygéner en profondeur. Attention toutefois à beaucoup boire et à ne pas abuser des hautes températures : la transpiration fait également perdre des sels minéraux essentiels.

Le bicarbonate de soude

Grâce à son action anti-acidité, le bicarbonate de soude est un excellent stabilisateur du pH, donc parfait pour neutraliser les aigreurs d'estomac ou les nausées. Chez moi, il est miraculeux ! Pour l'utiliser, mélangez environ 1 cuillerée à café de poudre de bicarbonate alimentaire dans 1 verre d'eau, et buvez d'une seule traite (le goût est franchement désagréable, mais je vous promets que ça en vaut la peine !).

L'eau citronnée et l'eau vinaigrée

Rassemblez votre courage au réveil pour boire un peu de jus de citron frais ou de vinaigre de cidre non pasteurisé dilués dans de l'eau tiède. En plus de réveiller les organes digestifs, ces cocktails vitaminés alcalinisent l'organisme et stimulent le foie. Si vous ne supportez pas leur goût très sur, n'hésitez pas à utiliser de petites quantités, ou à ajouter 1 cuillerée à café de miel pour adoucir le mélange. Vous pouvez adopter ce geste au quotidien, à condition de ne pas souffrir d'acidité gastrique.

Des plantes digestives et drainantes

Les plantes sont de précieuses alliées pour stimuler en douceur le foie, apaiser les problèmes digestifs et limiter la rétention d'eau. Rendez-vous p. 182 et p. 184 pour connaître les recettes de ma tisane digestive et de ma tisane diurétique ! Pour une action plus spécifiquement ciblée sur la santé hépatique, tournez-vous vers des tisanes ou gélules (en pharmacie) contenant une ou plusieurs des plantes suivantes : pissenlit, boldo, artichaut, radis noir et chardon-marie. Attention toutefois à rester raisonnable dans votre consommation : pour ne pas déminéraliser votre organisme, buvez ces mélanges ponctuellement, toujours avant les repas. Pour une cure de mi-saison, ne dépassez pas 2 ou 3 tasses par jour, durant 20 à 30 jours maximum, ou suivez les instructions du paquet.

Des huiles essentielles

Parce qu'elles stimulent le système digestif et le foie, détendent les muscles abdominaux ou combattent les nausées, certaines huiles peuvent être d'une aide précieuse après des excès alimentaires. Pour la sphère digestive, j'apprécie particulièrement les huiles de citron et de pamplemousse, de lavande et de menthe poivrée. Vous pouvez appliquer une ou deux gouttes dans un peu d'huile neutre (amande douce, jojoba…) sur votre ventre, en massage circulaire dans le sens des aiguilles d'une montre. Les huiles de citron, de pamplemousse et de menthe poivrée peuvent également être ingérées à raison d'une goutte dans 1 cuillerée à café d'huile d'olive ou de miel, ponctuellement, pour soulager les maux digestifs.

SOINS DE BEAUTÉ

& cosmétiques

Les cosmétiques et les produits d'hygiène nous accompagnent au quotidien ; leur impact sur notre santé et sur l'environnement est donc particulièrement important ! Malheureusement, la plupart des produits du commerce contiennent des ingrédients polluants et/ou toxiques – sans parler des tonnes de déchets de matières plastiques qu'ils génèrent chaque année.

Heureusement, des alternatives existent pour créer une routine beauté un peu plus green : produits naturels, mélanges faits maison…

Voici quelques idées pour prendre soin de votre peau et de vos cheveux avec des ingrédients simples, mais efficaces.

Quels cosmétiques acheter ?

BIEN QUE TOUS LES LABELS NE GARANTISSENT PAS LA MÊME EXIGENCE, OPTER POUR DES COSMÉTIQUES CERTIFIÉS BIO PERMET DE S'ASSURER DE L'ABSENCE DE LA PLUPART DES MOLÉCULES NOCIVES POUR LA SANTÉ ET L'ENVIRONNEMENT, AINSI QUE DES DÉRIVÉS DE L'INDUSTRIE PÉTROCHIMIQUE. VOUS ÉVITEZ PAR LA MÊME OCCASION TOUTES LES TRACES DE PESTICIDES ET AUTRES PRODUITS CHIMIQUES TOXIQUES INTERDITS EN AGRICULTURE BIOLOGIQUE. POUR VOUS ASSURER QU'UN PRODUIT EST CERTIFIÉ BIO, C'EST-À-DIRE SOUMIS À DES RÈGLES DE FORMULATION CONTRÔLÉES, VÉRIFIEZ LA PRÉSENCE D'UN LOGO OFFICIEL SUR L'EMBALLAGE : ECOCERT, NATRUE, COSMEBIO, BDIH, OU ENCORE NATURE ET PROGRÈS. EN DEHORS DE LA COSMÉTIQUE BIO OU FAITE MAISON, LA SEULE SOLUTION CONSISTE À LIRE LES ÉTIQUETTES POUR TRAQUER LES SUBSTANCES LES PLUS PROBLÉMATIQUES. VOICI LES PLUS IMPORTANTES À REPÉRER.

LES CONSERVATEURS SYNTHÉTIQUES

Il s'agit des parabens et dérivés, méthylisothiazolinone (MIT), méthylchloroisothiazolinone (MCIT), phénoxyéthanol (phénoxytol, EGPhE), triclosan, triclocarban, cetrimonium bromide, DMDM hydantoin, imidazolidinyl urea, quaternium-15E, BHA…

Les conservateurs synthétiques comptent parmi les pires substances de la cosmétique classique : outre leur fabrication souvent polluante, la plupart sont très allergisants, et reconnus comme perturbateurs endocriniens, agissant sur la thyroïde et les organes de reproduction. Notez également qu'une partie d'entre eux sont considérés comme cancérigènes, notamment les libérateurs de formaldéhyde.

LES MICROBILLES PLASTIQUES

Polyéthylène, PE…

Présentes dans de nombreux produits exfoliants et dentifrices classiques, les microbilles plastiques sont très polluantes pour l'environnement, et particulièrement pour les milieux aquatiques. On les retrouve dans les cours d'eau, l'océan et les estomacs des animaux marins.

LES SELS D'ALUMINIUM

Chlorure d'aluminium et dérivés

Présents dans la majorité des déodorants classiques pour leurs propriétés antitranspirantes, les sels d'aluminium sont suspectés d'augmenter le risque de cancer du sein et d'affecter le système nerveux.

LES HUILES MINÉRALES

Paraffinum liquidum, petrolatum, cera microcristallina, huile minérale…

Dérivées du pétrole, les huiles minérales sont des agents hydratants inertes mais étouffants pour la peau. Elles peuvent aussi s'avérer allergisantes, comédogènes, et contenir des impuretés cancérigènes. Leur fabrication est également très polluante.

LES SULFATES IRRITANTS

Laurylsulfate de sodium (appelé aussi sodium laureth sulfate ou sodium lauryl sulfate), ammonium lauryl sulfate…

Les SLS, utilisés pour faire mousser les produits d'hygiène, sont des détergents très agressifs qui peuvent irriter les peaux sensibles. Ils pourraient également constituer des perturbateurs endocriniens. On leur préférera des options plus douces, comme les sulfates dérivés de la noix de coco (*sodium coco sulfate*).

LES PARFUMS SYNTHÉTIQUES

Parfum, fragrance

Très allergisants, les parfums synthétiques renferment souvent des substances problématiques comme des phtalates, dont il est difficile de s'assurer de l'absence. Les phtalates sont des dérivés d'hydrocarbures qui présentent de sérieux risques de perturbation endocrinienne, affectant particulièrement les organes reproducteurs. En cosmétique bio, le terme « parfum » peut désigner une substance d'origine naturelle – c'est généralement indiqué sur l'emballage.

LES FILTRES UV SYNTHÉTIQUES

Benzophénone, oxybenzone, méthoxyphénol, phényléthanone, éthylhexyl méthoxycinnamate, méthylbenzylidène camphre (4-) (4-MBC)…

Allergisants et suspectés de provoquer des perturbations endocriniennes, les filtres UV synthétiques sont aussi extrêmement polluants et dévastateurs pour les milieux aquatiques, notamment les récifs de coraux. Mieux vaut leur préférer l'alternative du dioxyde de titane sans nanoparticules, un filtre minéral inerte pour l'océan et la peau.

LES SILICONES

Diméthicone, cyclométhicone, triméthicone, isohexadécane, polysiloxane, cyclopentasiloxane, cyclotétrasiloxane, cyclohexasiloxane…

Les silicones s'accumulent sur la peau ou les cheveux, formant à terme une couche occlusive très difficile à éliminer qui rend ceux-ci imperméables aux soins : le rendu est esthétique, mais purement superficiel ! Elle peut ainsi avoir une action comédogène sur la peau et étouffante sur le cuir chevelu. Le plus préoccupant reste toutefois son aspect nocif pour l'environnement : les silicones polluent pendant des centaines d'années avant de se dégrader.

LES POLYMÈRES

PEG, PPG, crosspolymer, polypropylène…

La production des polymères est extrêmement polluante. Les produits qui en découlent peuvent en outre contenir de nombreuses impuretés cancérigènes, en quantité mesurable, comme le 1,4-dioxane.

Soins de beauté & cosmétiques

193

Soins du visage au naturel

LE MEILLEUR MOYEN D'ÉVITER LA PLUPART
DES MOLÉCULES TOXIQUES EST D'ADOPTER
UNE ROUTINE MINIMALISTE, AVEC
DES PRODUITS BRUTS ET NATURELS,
ET DES MÉLANGES FAITS MAISON.
QUE VOUS AYEZ UNE PEAU SÈCHE, GRASSE,
MIXTE OU SANS HISTOIRES, IL EXISTE
DES PRODUITS DÉNUÉS D'ADDITIFS DOUTEUX
— ET SOUVENT ASSEZ ÉCONOMIQUES —
POUR EN PRENDRE SOIN. LES SAVONS
ARTISANAUX, COMME LE VÉRITABLE SAVON
DE MARSEILLE OU LES SAVONS SAPONIFIÉS
À FROID, PEUVENT REMPLACER LES GELS
DOUCHE ET LES NETTOYANTS ; LES HUILES
VÉGÉTALES ET LE GEL D'ALOE VERA
PEUVENT SE CHARGER DE L'HYDRATATION
DU VISAGE : POURQUOI NE PAS REMPLACER
VOTRE CRÈME DE NUIT PAR UNE HUILE
VÉGÉTALE, OU VOTRE LOTION PAR
UN HYDROLAT PARFUMÉ ? QUELLE MEILLEURE
MANIÈRE DE SAVOIR EXACTEMENT CE
QUE VOUS APPLIQUEZ SUR VOTRE PEAU ?

LES HYDROLATS

Les hydrolats, ou eaux florales, sont issus
du procédé de distillation des huiles essentielles.
À cet égard, ils contiennent de minuscules
traces d'essence (généralement moins de 0,1 %)
et peuvent donc être considérés comme des
actifs naturels extrêmement doux. Je les
utilise en lotion tonique apaisante, après avoir
nettoyé mon visage et avant d'appliquer mon
soin nourrissant. Pour choisir le vôtre, optez
pour des eaux dont les propriétés conviennent
à votre peau, ou tout simplement pour la senteur
que vous préférez !

- Peaux sèches et sensibles : camomille,
  bleuet, rose, fleur d'oranger, hélichryse
  italienne (immortelle)...
- Peaux mixtes à grasses : lavande vraie,
  hamamélis, géranium, verveine...
- Peaux acnéiques : tea tree (arbre à thé),
  lavande vraie, géranium, pamplemousse,
  menthe poivrée, eucalyptus...
- Peaux matures : rose, fleur d'oranger, romarin...

Vaporisez l'hydrolat matin et/ou soir
sur la peau propre ou sur une lingette
réutilisable, que vous passerez sur votre
visage.

LES HUILES VÉGÉTALES

Les huiles végétales (à ne pas confondre avec les huiles essentielles) sont des corps gras issus de plantes oléagineuses, comme certains fruits, noix et graines. Elles sont idéales pour nourrir et protéger la peau des agressions extérieures. Contrairement à ce que l'on pourrait croire, elles peuvent convenir à toutes les peaux, même grasses, si l'on choisit une variété adaptée : certaines permettent même d'équilibrer la production de sébum et de réduire les imperfections. Vous pouvez les utiliser comme alternative économique et écologique aux crèmes hydratantes du commerce.

- ✻ Peaux sèches et sensibles : argan, avocat, amande douce, sésame...
- ✻ Peaux « normales » : jojoba, argan...
- ✻ Peaux mixtes à grasses : jojoba, noisette, nigelle...
- ✻ Peaux acnéiques : nigelle, neem...
- ✻ Peaux matures : argan, onagre, rose musquée, bourrache, noyaux d'abricot...

Appliquez 2 à 5 gouttes de l'huile de votre choix sur votre visage propre et légèrement humide, matin et soir. Massez bien pour faire pénétrer le produit. Patientez quelques minutes avant d'éventuellement vous maquiller.

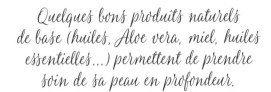

Quelques bons produits naturels de base (huiles, Aloe vera, miel, huiles essentielles...) permettent de prendre soin de sa peau en profondeur.

Traitement ciblé antiboutons

Les propriétés antibactériennes, antiseptiques et cicatrisantes de certaines huiles essentielles constituent de précieux alliés naturels contre les petits boutons disgracieux. Parce qu'elles sont encore plus efficaces lorsqu'elles s'associent, je prépare des mélanges dans un flacon bille à appliquer en cas d'apparition malheureuse. Notez néanmoins qu'une visite chez le médecin s'impose si vos problèmes de peau persistent ou s'aggravent. Pour les précautions avant utilisation des huiles essentielles, voir p. 222.

Pour 1 flacon « roll-on » de 5 ml

- ★ 20 gouttes d'huile essentielle de tea tree
- ★ 20 gouttes d'huile essentielle de lavande vraie
- ★ 10 gouttes d'huile essentielle de manuka
- ★ Huile de jojoba ou de nigelle

Versez les huiles essentielles goutte à goutte à l'aide d'une pipette, puis complétez avec l'huile végétale jusqu'à remplir le flacon. Refermez et secouez bien.

En cas d'éruption de boutons, appliquez un peu de ce mélange sur la zone à traiter, jusqu'à 4 fois par jour. Ne vous exposez pas au soleil dans les 8 heures suivant l'application.

Masque purifiant au rhassoul

Le rhassoul est une argile réputée pour ses propriétés absorbantes et désincrustantes. Efficace sur les peaux grasses ou à problèmes, il reste néanmoins doux et respectueux du film hydrolipidique de l'épiderme. En association avec un hydrolat apaisant, cicatrisant et antibactérien ainsi qu'une huile végétale adaptée, on obtient un masque purifiant naturel idéal.

Pour 1 masque

★ 1 cuill. à soupe bombée de rhassoul en poudre
★ 2 cuill. à soupe d'hydrolat de lavande vraie
★ Quelques gouttes d'huile de jojoba ou de nigelle
★ Eau minérale (tiède)

Mélangez les ingrédients dans un bol, en complétant si besoin avec un peu d'eau minérale, jusqu'à obtenir une pâte crémeuse. Appliquez celle-ci sur la peau propre et laissez poser environ 10 à 15 minutes. Pour que l'argile ne sèche pas, réhydratez-la jusqu'à la fin du temps de pose en vaporisant régulièrement de l'eau ou de l'hydrolat sur le visage. Rincez à l'eau tiède, à l'aide d'une éponge si besoin, et complétez par l'application d'une crème hydratante ou d'une huile végétale.

Masque hydratant à l'Aloe vera et au miel

Malgré l'application d'huile végétale, il arrive que le visage manque d'hydratation, c'est-à-dire d'eau : vous avez des sensations de tiraillement et de minuscules ridules apparaissent autour des yeux ou sur les joues... Pour pallier ce problème, pensez à boire beaucoup et n'hésitez pas à offrir à votre visage un petit masque réhydratant maison. Celui-ci, à la fois léger et efficace, très doux mais aussi antibactérien, conviendra à toutes les peaux.

★ 1 cuill. à café de gel d'Aloe vera
★ ½ cuill. à café de miel non pasteurisé

Mélangez les ingrédients dans un bol. Appliquez le masque sur tout votre visage parfaitement propre. Laissez poser une dizaine de minutes, puis rincez à l'eau tiède.

ASTUCE

Pour un effet encore plus hydratant, ajoutez au mélange un peu de yaourt nature, de banane ou d'avocat !

Le masque hydratant à l'Aloe vera et au miel est prêt en moins d'une minute !

Masque éclat à la papaye

VOUS L'AVEZ PEUT-ÊTRE REMARQUÉ : BEAUCOUP DE MASQUES ÉCLAT CONTIENNENT DES EXTRAITS DE FRUITS EXOTIQUES COMME L'ANANAS OU LA PAPAYE. ET POUR CAUSE : CEUX-CI CONTIENNENT DE LA PAPAÏNE, UNE ENZYME CAPABLE DE LISSER ET D'ÉCLAIRER LA PEAU GRÂCE À SON ACTION SUR LES CELLULES MORTES, DE MANIÈRE COMPLÈTEMENT NATURELLE. PARFAIT POUR LES TEINTS QUI MANQUENT DE LUMINOSITÉ !

MOINS LA PAPAYE EST MÛRE, PLUS ELLE CONTIENT DE PAPAÏNE. SI VOUS AVEZ LA PEAU TRÈS SENSIBLE, CHOISISSEZ DONC UNE PAPAYE DÉJÀ JUTEUSE, TANDIS QUE LES PEAUX PLUS CORIACES OU À IMPERFECTIONS POURRONT SE TOURNER VERS UNE PAPAYE PLUTÔT VERTE. VOUS POUVEZ AUSSI APPLIQUER CE MASQUE SANS MIEL ; CELUI-CI APPORTE SIMPLEMENT SES PROPRIÉTÉS ANTIBACTÉRIENNES ET RENFORCE L'EFFET ÉCLAIRCISSANT DES ENZYMES.

Pour 1 masque

★ 1 tranche de papaye d'environ 3 cm d'épaisseur
★ 1 cuill. à soupe de miel

Préparation

Découpez le morceau de papaye. Pelez-le, épépinez-le et coupez-le en morceaux. Déposez-les dans un blender avec le miel et mixez jusqu'à obtenir une purée. Utilisez immédiatement.

Application

Étalez la purée de papaye sur votre visage propre en évitant le contour des yeux. Laissez poser 10 à 20 minutes, puis rincez à l'eau tiède.

Vous pouvez appliquer ce masque 1 ou 2 fois par semaine au maximum. L'effet éclaircissant est déjà visible juste après le rinçage, mais il est encore plus notable avec une utilisation régulière.

ATTENTION

Si vous avez la peau sensible ou allergique, effectuez un petit test sur la face interne de votre avant-bras avant d'appliquer le masque sur votre visage.

Gommages

~❧~

PLUTÔT QUE D'ACHETER DES PRODUITS SPÉCIFIQUES, IL EST POSSIBLE D'EXFOLIER
SA PEAU AVEC DES PETITS ACCESSOIRES RÉUTILISABLES OU DE PRÉPARER
DES GOMMAGES MAISON À PARTIR D'INGRÉDIENTS TRÈS SIMPLES.

POUR LE CORPS, RIEN N'EST PLUS EFFICACE À MON SENS QUE LE TRADITIONNEL GANT
DE CRIN OU LES BROSSES DE LOOFAH. J'EN AI TOUJOURS UN ACCROCHÉ DANS MA DOUCHE,
QUE J'UTILISE ENVIRON UNE FOIS PAR SEMAINE SUR TOUT LE CORPS, EN PARTANT DU BAS,
POUR STIMULER LA CIRCULATION. VOUS POUVEZ LE PASSER DIRECTEMENT SUR LA PEAU
MOUILLÉE (OU SÈCHE, SI ELLE N'EST PAS TROP SENSIBLE), MAIS JE RECOMMANDE
DE VOUS SAVONNER PRÉALABLEMENT AU SAVON NOIR PUR POUR UN EFFET HAMMAM !

~❧~

*Le gommage au café
est doublement écologique :
naturel et récup' !*

EXFOLIER LE VISAGE

Sur le visage, la douceur est
de mise. Plutôt que de la gommer
ponctuellement avec des produits
irritants, je préfère profiter de la très
délicate exfoliation quotidienne
d'une éponge végétale de konjac,
que l'on peut utiliser pour
nettoyer sa peau tous les jours.

Gommage coco-café

ENVIE D'UN MOMENT COCOONING, D'UN GOMMAGE TRADITIONNEL À LA MAISON?
CE MÉLANGE AU CAFÉ MOULU EST FACILE À CONCOCTER CHEZ SOI ET TRÈS ÉCONOMIQUE!

Pour le visage

★ Huile de coco vierge

★ Marc de café

Pour le corps

★ Huile de coco vierge

★ Marc de café

★ Sucre de canne

NB Le marc de café est du café déjà infusé, que vous pouvez récupérer dans un filtre, par exemple, ou dans une dosette. Il est également possible de mettre à profit le café utilisé pour la recette de « cold brew » p. 174.

Préparation

Dans un bol, mélangez le marc de café (et éventuellement le sucre) avec un peu d'huile pour obtenir une pâte. Utilisez rapidement, car le mélange ne se conserve pas.

Application

Prélevez la pâte gommante avec une cuillère, déposez-en dans le creux des mains, et étalez sur la zone à traiter. Massez délicatement la peau (surtout s'il s'agit du visage). Laissez poser quelques minutes si vous le souhaitez, puis rincez abondamment.

ATTENTION AUX TACHES

En raison de la présence de café, ce gommage fait des taches. Appliquez-le de préférence sous la douche.

VARIANTE POUR PEAU SENSIBLE

Préférez un simple mélange d'huile de coco et de sucre extra fin. Si vous le souhaitez, vous pouvez ajouter 1 ou 2 gouttes d'extrait de vanille pour l'odeur ! Cette formule vaut également pour gommer les lèvres en douceur.

Soins de beauté & cosmétiques

Un baume à lèvres maison

IL EST SI FACILE ET SI RAPIDE D'OBTENIR UN PARFAIT BAUME À LÈVRES MAISON
QU'IL SERAIT VRAIMENT DOMMAGE DE S'EN PRIVER ! QUE LES ALLERGIQUES
AUX COMPLICATIONS SE RASSURENT : NUL BESOIN DE JOUER AU PETIT CHIMISTE.
LA RECETTE DE BASE NE COMPORTE QUE TROIS INGRÉDIENTS BASIQUES ET UN CONSERVATEUR
NATUREL, QU'IL N'EST MÊME PAS NÉCESSAIRE DE PESER. POUR NE RIEN GÂCHER,
ELLE EST AUSSI ÉCONOMIQUE ET ENTIÈREMENT PERSONNALISABLE.

Pour 1 petit pot de 10 ml environ

★ 1 cuill. à café de pur beurre végétal

★ 1 cuill. à café d'huile végétale

★ ½ cuill. à café de cire en paillettes (candelilla, abeille, soja...)

★ 2 gouttes de vitamine E (recommandé, mais pas obligatoire)

★ 2-3 gouttes d'huile essentielle ou arôme naturel, colorant naturel, paillettes... (optionnel)

🥄 5 min 🍲 5 min

1 Dans un bol, versez le beurre, l'huile et la cire. Chauffez le tout au bain-marie, en plaçant le bol dans une petite casserole d'eau que vous ferez chauffer à feu doux.

2 Remuez de temps en temps le mélange, jusqu'à ce qu'il ait entièrement fondu.

3 Coupez le feu. Ajoutez la vitamine E et, éventuellement, les ingrédients optionnels, puis mélangez bien.

4 Versez le tout dans un petit pot parfaitement propre et laissez reposer à température ambiante pendant au moins 1 heure, ou jusqu'à ce que le baume soit entièrement solidifié.

Vous pouvez conserver ce baume quelques mois, dans des conditions d'hygiène optimales (ne le prélevez pas avec les mains sales !).

VARIANTES

Le gourmand
★ Beurre de cacao
★ Huile de coco
★ Cire d'abeille
★ Extrait de vanille
★ 1 pincée de pur cacao en poudre

Le tout doux
★ Beurre de karité
★ Huile d'amande douce
★ Cire de soja
★ 3 gouttes de fragrance naturelle de fleur d'oranger

Le vitaminé
★ Beurre de karité
★ Huile de jojoba
★ Cire de soja
★ 2 gouttes d'huile essentielle de litsée citronnée
★ 2 gouttes d'huile essentielle de pamplemousse sans furocoumarines*

Cette base universelle peut se personnaliser à loisir, à condition de respecter l'alliance des trois ingrédients principaux. Le beurre végétal apporte onctuosité et consistance, et, en association avec l'huile, une nutrition profonde ; la cire permet de solidifier le baume et de protéger la peau des agressions extérieures. Ajoutez-y un peu de fragrance, de couleur ou de paillettes pour habiller joliment vos lèvres tout en les réparant !

ASTUCE

Ce baume offre une texture relativement solide, qui ne fond vraiment qu'au contact de la chaleur de la peau. N'hésitez pas à modifier légèrement la texture en jouant sur la proportion de cire. Avec davantage de cire, la texture sera plus solide et au contraire plus fondante si vous en incluez un peu moins.

N'hésitez pas à multiplier les quantités pour obtenir plusieurs petits pots : ces baumes feront d'excellents cadeaux pour vos amies !

* Les huiles essentielles d'agrumes comportent des molécules photosensibilisantes, les furocoumarines, qu'il vaut mieux éviter dans les produits que l'on applique pendant la journée.

Soins des cheveux

POUR DES RAISONS DE SANTÉ
ET D'ÉCOLOGIE (VOIR P. 192),
JE NE PEUX QUE VOUS INCITER À ADOPTER
UNE ROUTINE CAPILLAIRE PLUS « VERTE » :
LE SIMPLE FAIT D'ÉVITER LES SILICONES
PAR EXEMPLE, OU DE TENTER
L'AVENTURE DES SHAMPOINGS SOLIDES
(DONC SANS EMBALLAGE, OU PRESQUE),
EST UN PETIT PAS QUI COMPTE ! AU-DELÀ
DES PRODUITS D'HYGIÈNE BASIQUES,
IL EST ÉGALEMENT POSSIBLE D'ENTRETENIR
SES CHEVEUX DE FAÇON 100 % NATURELLE
À LA MAISON, EN SE CONCOCTANT DES SOINS
MINUTE, FRAIS ET ADAPTÉS À SES BESOINS.

PRÉCAUTIONS

Les huiles essentielles sont des actifs puissants, qu'il faut manipuler avec précaution. Respectez les doses proposées ci-contre, et effectuez un test d'allergie sur votre bras avant la première utilisation. Veillez à conserver vos flacons à l'abri de la lumière et de la chaleur car ce sont des substances volatiles. Par ailleurs si vous avez un chat ou un enfant en bas âge à la maison, il convient de ne pas les y exposer.

Personnaliser son shampoing

En adaptant son shampoing à ses besoins avec des huiles essentielles, on transforme une simple étape d'hygiène en véritable mini-soin ! Ces puissants actifs naturels s'ajouteront de préférence à une base lavante neutre, douce et naturelle, pour ne pas créer de mélanges malheureux. Préférez l'association de deux ou trois références, qui apporteront chacune des propriétés légèrement différentes.

Pour 1 flacon
* 125 ml de base lavante douce
* 40 gouttes d'huiles essentielles

Dans le flacon d'origine, ou dans un contenant vide et parfaitement propre, versez la base lavante, puis les 40 gouttes (au total) d'huiles essentielles de votre choix. Fermez la bouteille et secouez fort. Laissez reposer au moins 24 heures pour que les huiles s'infusent correctement dans tout le produit, puis utilisez comme un shampoing classique.

QUELLE HUILE ESSENTIELLE ?

❧ **Cuir chevelu sec :** lavande vraie, ylang-ylang, géranium

❧ **Cuir chevelu gras :** citron, laurier noble, lavande vraie

❧ **Pellicules et démangeaisons :** tea tree, laurier noble, palmarosa

❧ **Chute de cheveux :** citron, bay Saint-Thomas, cèdre de l'Atlas

Nourrir des cheveux secs

Seule une bonne coupe pourra vous débarrasser de vos pointes abimées : contrairement à ce que promettent les publicités, les cheveux ne peuvent pas se réparer. En revanche, il est possible de nourrir en profondeur les crinières sèches grâce à des bains d'huile. J'opte toujours pour l'huile de coco, qui présente une affinité toute particulière avec les protéines capillaires, permettant une pénétration profonde des acides gras. Et que dire de son délicieux parfum ! Si vos cheveux ont tendance à frisotter ou sont souvent exposés à la chaleur (sèche-cheveux, fer lissant...), l'ajout d'Aloe vera permet de leur apporter de l'hydratation.

Pour 1 application

★ 3 parts d'huile de coco vierge pressée à froid
★ 1 part de gel d'Aloe vera

Fouettez les ingrédients ensemble dans un bol. Sur cheveux secs ou bien essorés, appliquez le mélange dans l'ensemble de votre chevelure, ou uniquement sur les longueurs, en massant bien l'huile dans chaque mèche. Entourez votre crâne d'une serviette chaude si possible, et laissez poser au moins une heure, de préférence plusieurs – voire toute la nuit. Enfin, faites un shampoing pour retirer les résidus d'huile.

Vous pouvez appliquer ce bain d'huile une fois par semaine.

Purifier un cuir chevelu gras

Grâce à ses propriétés absorbantes et adsorbantes, le rhassoul désincruste en douceur les impuretés et l'excès de sébum tout en faisant pénétrer ses actifs fortifiants dans la peau et les cheveux. Avec un hydrolat antibactérien et du vinaigre de cidre équilibrant, il forme un masque idéal pour les cuirs chevelus gras !

Pour 1 flacon de masque au rhassoul

★ 60 g de rhassoul
★ 50 ml d'eau
★ 20 ml d'hydrolat de tea tree ou de lavande
★ 1 cuill. à soupe de vinaigre de cidre

Dans un bol, fouettez les ingrédients jusqu'à obtenir une pâte crémeuse. Appliquez celle-ci sur les cheveux humides, avec les mains ou à l'aide d'un pinceau à coloration, sur l'ensemble du crâne. Massez toutes les racines pour qu'elles soient bien imprégnées, puis laissez poser environ 20 minutes. Rincez abondamment à l'eau claire.

Vous pouvez appliquer ce masque une fois par semaine, à la place d'un shampoing ou juste avant un shampoing très doux.

Soins de beauté & cosmétiques

Exfolier le cuir chevelu

Lorsque l'on utilise des shampoings contenant de la silicone ou beaucoup de soins coiffants, des résidus s'accumulent au fil du temps au niveau des racines. Les cheveux ternissent, poussent moins vite, la peau du crâne étouffe, s'engraisse... Pour assainir et stimuler le cuir chevelu, un gommage doux est idéal. Vous sentirez votre crinière plus légère, plus volumineuse et, à terme, ravivée.

Pour 1 application

★ 4 cuill. à soupe de sucre de canne fin
★ 2 cuill. à soupe d'après-shampoing naturel sans silicone ou de yaourt
★ 1 cuill. à soupe de miel
★ 2 gouttes d'huile essentielle de menthe poivrée (facultatif)

Dans un bol, fouettez les ingrédients. Appliquez le mélange sur les cheveux humides, à l'aide d'un pinceau à coloration ou d'un flacon-doseur, raie par raie. Massez ensuite doucement du bout des doigts pour bien exfolier la peau du crâne. Enfin, faites un shampoing doux pour retirer le gommage.

Vous pouvez faire ce gommage une fois par mois, mais pas plus, pour ne pas agresser la peau. Faites-le suivre par des soins très doux. Évitez de l'appliquer si vous souffrez d'irritations ou de problèmes dermatologiques (psoriasis, etc.) sur le crâne.

Les produits naturels soignent les cheveux en profondeur.

De haut en bas, trois soins essentiels : un masque nourrissant à l'huile de coco pour les pointes, un gommage, et un masque purifiant pour le cuir chevelu.

Apaiser un cuir chevelu sec, irrité

Les irritations et démangeaisons du cuir chevelu peuvent provenir de différents facteurs : déséquilibre bactérien, sécheresse, allergie, problèmes dermatologiques... Pour soulager des désagréments ponctuels, ce masque à base d'ingrédients apaisants devrait vous aider.

★ 1 yaourt nature (vache, brebis, soja lacto-fermenté...)
★ 1 cuill. à café de gel d'Aloe vera
★ 3 gouttes d'huile essentielle de lavande vraie

Fouettez les ingrédients dans un bol. Appliquez le mélange raie par raie sur le cuir chevelu humide. Massez ensuite doucement du bout des doigts pour bien le répartir sur tout le crâne, et laissez poser environ 20 minutes. Enfin, faites un shampoing doux pour retirer le masque.

Vous pouvez appliquer ce masque lorsque vous ressentez des irritations. Si les symptômes persistent, il sera toutefois indispensable de consulter votre médecin.

Soins de beauté & cosmétiques

Rafraîchir les racines par un shampoing sec

POUR DES RAISONS DE SENSIBILITÉ ET DE PRATICITÉ, JE NE VEUX PAS ME LAVER LES CHEVEUX TROP SOUVENT. L'ÉVICTION DES SILICONES DANS MA ROUTINE ET L'ADOPTION DE SHAMPOINGS TRÈS DOUX M'ONT PERMIS PETIT À PETIT D'ESPACER LES LAVAGES DE 4 JOURS – UNE RÉUSSITE POUR UN CUIR CHEVELU GRAS !

NÉANMOINS, IL ARRIVE QUE MES RACINES AIENT BESOIN D'ÊTRE RAFRAÎCHIES ENTRE-TEMPS. DANS CE CAS, LES «SHAMPOINGS» SECS, DES POUDRES QUI ABSORBENT LE SÉBUM ET QUE L'ON ÉLIMINE EN BROSSANT, SONT DES ALLIÉS PRÉCIEUX. J'EN AI LONGTEMPS ACHETÉ SOUS FORME DE BOMBE VAPORISATEUR, MAIS EN PLUS D'ÊTRE NÉFASTES POUR L'ENVIRONNEMENT, CES PRODUITS CONTIENNENT BEAUCOUP D'INGRÉDIENTS IRRITANTS. JE VOUS PROPOSE ICI UNE VERSION NATURELLE UNIVERSELLEMENT CONNUE SUR LES BLOGS DE BEAUTÉ BIO, QUI MARCHE AUSSI BIEN ET EST BIEN PLUS ÉCONOMIQUE !

Pour 1 flacon

★ Fécule de maïs
★ Cacao dégraissé en poudre

Préparation

Mélangez les ingrédients selon la proportion qui vous semble la plus juste par rapport à la couleur de vos cheveux.

Par exemple, 1 cuillerée à soupe de cacao pour 3 cuillerées à soupe de fécule si vos cheveux sont moyennement foncés, ou la même quantité de l'un et de l'autre si vous êtes plus brune. Si vous avez des racines claires, vous pouvez vous passer totalement de cacao.

Vous pouvez conserver ce shampoing sec dans un petit pot propre avec couvercle. Il tiendra plusieurs mois sans problème à condition de bien le fermer, pour le protéger de l'humidité.

Application

1 Prélevez un peu de poudre avec un pinceau de maquillage type kabuki, tapotez l'excédent, puis appliquez le pinceau sur les zones à rafraîchir.

2 Avec les mains propres, massez légèrement votre cuir chevelu pour faciliter l'absorption du sébum, puis patientez quelques minutes.

3 Brossez vos cheveux en insistant bien sur les parties concernées, ou passez-y plusieurs fois les mains jusqu'à ce que l'effet poudré ait disparu. Vous pouvez également passer un coup de sèche-cheveux froid sur vos racines pour être sûre d'avoir éliminé tout résidu. Vos cheveux devraient avoir retrouvé leur légèreté et leur brillance !

*Avec ses ingrédients simplissimes,
le shampoing sec maison bat
tous les records d'économies !*

ATTENTION AUX TACHES

Les shampoings secs
contenant du cacao peuvent
tacher ! Il est donc préférable
de les appliquer au-dessus
du lavabo ou de la baignoire,
et d'éviter de porter
des vêtements clairs.

Pour une
MAISON
propre & saine

La plupart des produits d'entretien classiques sont très agressifs, voire nocifs (pour la peau, les voies respiratoires, etc.), polluants, et perturbent l'équilibre bactérien de la maison. Je préfère donc le nettoyage « fait maison » à base d'ingrédients naturels.

Les préparations maison, à l'image des astuces de nos grands-mères, ont tout bon : elles sont meilleures pour la santé et pour l'environnement, souvent bien plus économiques, mais tout aussi efficaces contre les microbes malintentionnés. Vous aurez aussi le plaisir de pouvoir les personnaliser selon vos goûts ou les besoins des membres de la famille !

Entretien du linge

LES PRODUITS POUR LE LINGE SONT
L'UNE DES PRINCIPALES SOURCES
DE POLLUTION DOMESTIQUE EN RAISON DE LEUR
TENEUR EN PHOSPHATES, RESPONSABLES
DE GRAVES PERTURBATIONS DE L'ÉCOSYSTÈME
AQUATIQUE. CÔTÉ SANTÉ, LES LESSIVES
SONT ÉGALEMENT TRÈS ALLERGISANTES.
PAR CHANCE, LES ALTERNATIVES «MAISON»
COÛTENT INFINIMENT MOINS CHER QU'UNE
BOUTEILLE EN SUPERMARCHÉ ET SONT FACILES
À RÉALISER, MÊME QUAND ON A PEU DE TEMPS
À Y CONSACRER! LA SEULE DIFFÉRENCE,
À LAQUELLE IL FAUT S'HABITUER,
EST L'ABSENCE DE PARFUM DE «PROPRE»
ARTIFICIEL... MAIS QU'EST-CE QU'ON
NE FERAIT PAS POUR NOTRE JOLIE PLANÈTE!

MÉTHODE DE DÉTACHAGE

Si votre linge est vraiment taché, pensez
à le détacher en amont, en frottant par
exemple un peu de savon directement
dessus. La terre de Sommières,
une argile naturelle, peut également
faire des miracles pour désengorger
une tache avant le passage en machine.
J'ai l'habitude de pré-détacher les
taches tenaces en laissant tremper
la pièce concernée dans un mélange
d'eau chaude, de bicarbonate de soude,
et de savon – ça marche à tous les coups!

Adoucissant au vinaigre

L'ajout d'adoucissant est une habitude plus
qu'une nécessité, et je m'en passe les trois
quarts du temps! Rassurez-vous néanmoins
si vous tenez à la douceur de votre linge : il est
aisé d'en fabriquer à la maison pour très peu
cher grâce au vinaigre blanc. Celui-ci neutralise
le calcaire, désodorise et désinfecte, tout
en entretenant votre machine au passage!

ATTENTION : je ne recommande pas son
utilisation systématique sur les vêtements
qui comportent un élastique (lingerie, etc.)
puisque ceux-ci peuvent être détériorés
à la longue par l'acide du vinaigre.

Pour 1 litre d'adoucissant

★ 500 ml de vinaigre blanc
★ 450 ml d'eau
★ 30 gouttes d'huile essentielle de lavande
   vraie, d'eucalyptus ou de citron

Mélangez le tout et versez dans
une bouteille de 1 litre.

La quantité à utiliser à chaque machine
dépend de la dureté de votre eau.
En règle générale, ½ verre suffit.

ASTUCE

L'action de cette recette est plus faible
que celle des adoucissants comportant
des produits chimiques. Si vous tenez à obtenir
des serviettes ou des t-shirts plus moelleux,
par exemple, passez-les au sèche-linge!

Lessive au savon de Marseille

SI VOUS AVEZ UN BIDON ASSEZ GRAND ET SI VOUS FAITES DE NOMBREUSES LESSIVES,
DOUBLEZ OU TRIPLEZ LES QUANTITÉS CI-DESSOUS POUR ÊTRE TRANQUILLE PLUS LONGTEMPS :
CE MÉLANGE SE CONSERVE QUELQUES MOIS À L'ABRI DE LA LUMIÈRE ET DE L'HUMIDITÉ.

Pour 1 litre de lessive

* ★ 1 litre d'eau du robinet
* ★ 20 g de savon de Marseille en copeaux
* ★ 1 cuill. à soupe bombée de bicarbonate de soude
* ★ 10 à 15 gouttes d'huile essentielle de lavande vraie, d'eucalyptus ou de citron
* ★ 1 ancien bidon de lessive ou une bouteille refermable d'au moins 1,5 litre.

Préparation

1 Faites bouillir l'eau dans une casserole. Coupez le feu. Versez-y les copeaux de savon et remuez bien à l'aide de la spatule jusqu'à ce que tout se soit dissous.

2 Laissez tiédir, puis versez dans le mélange le bicarbonate de soude et l'huile essentielle en remuant bien. C'est prêt !

Utilisation

Après 24 heures, votre lessive va se solidifier et former une masse gélatineuse. N'hésitez donc pas à la secouer vigoureusement dans la bouteille avant chaque utilisation. Vous pouvez aussi mélanger à nouveau à la fourchette juste avant utilisation, ou au mixeur, à vitesse lente.

Pour une machine normale, comptez un bouchon de lessive ou un petit pot de yaourt de ce produit, que vous déverserez directement dans le tambour.

LE SAVIEZ-VOUS ?

Il existe une différence de formulation entre le savon de Marseille blanc, qui contient de l'huile de palme, et le savon de Marseille vert, qui n'en contient pas. Je trouve le blanc plus efficace pour cette recette, mais rien ne vous empêche de faire des essais avec différents savons traditionnels. Le savon d'Alep pourrait aussi tout à fait convenir !

ASTUCE

Pour une lessive un peu plus puissante sur le linge sale, ajoutez 2 ou 3 cuillerées à soupe de cristaux de soude dans le tambour. Pour une lessive de blanc, ajoutez 2 ou 3 cuillerées à soupe de percarbonate de soude, qui ravivera son éclat.

Pour une maison propre & saine

211

Produits nettoyants

HALTE AUX PRODUITS TOXIQUES SUR LES SURFACES QUE NOUS UTILISONS AU QUOTIDIEN ! LEURS COMPOSÉS POLLUENT L'AIR QUE NOUS RESPIRONS, EN PLUS D'ENTRER EN CONTACT DIRECT AVEC NOTRE PEAU, LES OBJETS QUE NOUS MANIPULONS, ET NOS ALIMENTS. HEUREUSEMENT, DES ALTERNATIVES TRÈS SIMPLES EXISTENT POUR ENTRETENIR NOTRE INTÉRIEUR DE MANIÈRE PLUS SAINE, 100 % NATURELLE ET BIODÉGRADABLE. POUR NE RIEN GÂCHER, CES MÉLANGES MAISON VOUS PERMETTRONT DE FAIRE D'IMPORTANTES ÉCONOMIES !

PRÉCAUTIONS

Les huiles essentielles utilisées : tea tree, eucalyptus et citron sont réputées pour leur action antiseptique. Veillez à les conserver à l'abri de la lumière et de la chaleur car ce sont des substances volatiles. Par ailleurs si vous avez un chat ou un enfant en bas âge à la maison, il convient de ne pas les exposer aux huiles essentielles. Vous pouvez réaliser les recettes proposées en omettant ces dernières.

Nettoyant multisurface au vinaigre

Voici une recette idéale pour nettoyer les surfaces de la cuisine (plan de travail, table vernie ou en plastique, carrelage mural…), le réfrigérateur, mais aussi les vitres, qu'elle dégraisse et protège du calcaire avec efficacité. Elle laisse une odeur de vinaigre au moment de l'utilisation, mais celle-ci s'estompe après quelques minutes.

Pour un flacon vaporisateur de 500 mL

★ 2/3 d'eau du robinet
★ 1/3 de vinaigre blanc (dégraisse, détartre, désinfecte)
★ 1 cuill. à café de bicarbonate de soude (désodorise, nettoie)
★ 15 gouttes d'huile essentielle de tea tree, d'eucalyptus ou de citron

Dans votre flacon, versez d'abord l'eau. Ajoutez ensuite alternativement et petit à petit le vinaigre et le bicarbonate, en mélangeant doucement. Si vous allez trop vite, le mélange va jaillir comme un volcan ! Ajoutez ensuite les gouttes d'huile essentielle. Laissez reposer le mélange environ 24 h sans couvercle pour que les gaz puissent s'en échapper, puis fermez-le. Avant de l'utiliser, secouez un peu le flacon, vaporisez la surface à nettoyer et frottez avec une éponge ou une lavette.

Nettoyant dégraissant au vinaigre

Cette version est peut-être plus adaptée aux éléments qui peuvent être nettoyés avec une éponge humide, comme les éviers, lavabos, mais aussi les WC, parce qu'elle peut nécessiter un léger rinçage. Cependant, vous pouvez également l'utiliser pour toutes les surfaces de la cuisine si vous le souhaitez.

Pour un flacon vaporisateur de 500 mL

★ 450 mL d'eau chaude
★ 2 cuill. à café de savon noir liquide (dégraissant, détachant, antiseptique)
★ 2 cuill. à café de vinaigre blanc
★ 15 gouttes d'huile essentielle d'eucalyptus, de tea tree ou de citron

Mélangez tous les ingrédients dans le flacon. C'est prêt !

Avant de l'utiliser, secouez un peu le flacon, vaporisez la surface à nettoyer et frottez avec une éponge humide ou une lavette. Rincez ensuite l'éponge et passez une deuxième fois pour retirer définitivement le produit.

Mélange doux universel

La plupart des surfaces délicates, particulièrement celles en bois, supportent mal les produits un peu forts comme le vinaigre ou le bicarbonate. Au quotidien, un entretien adapté (huile de lin pour le bois brut par exemple) et un dépoussiérage régulier suffisent. Si un vrai nettoyage est malgré tout nécessaire, mieux vaut privilégier la douceur, avec un peu de savon noir dilué dans de l'eau. Par prudence, faites un petit test dans un coin non visible avant de vous lancer sur toute la surface.

Pour une surface importante, diluez un peu de savon noir dans l'eau tiède. Imbibez une éponge ou une lavette de ce mélange, et essorez-la bien avant de frotter délicatement.

Pour une petite surface ou une tache précise, versez 1 ou 2 gouttes de savon noir sur une brosse à dents humide ou imbibez celle-ci d'un peu d'eau savonneuse, puis frottez doucement la zone concernée.

Mélange spécial W.-C.

Détartrer et désinfecter des toilettes n'a jamais été aussi simple qu'au naturel ! Pour un entretien quotidien, n'importe lequel des deux sprays proposés ci-dessus, vaporisés sur les parois de la cuvette, suffira. Aidez-vous d'une brosse si besoin, puis tirez la chasse. En cas d'encrassement plus intense, testez la méthode suivante, que je trouve très efficace.

★ 2 ou 3 cuill. à café de bicarbonate de soude
★ Vinaigre blanc
★ 5 gouttes d'huile essentielle de tea tree, de citron ou d'eucalyptus

Versez le bicarbonate dans la cuvette, puis les gouttes d'huile essentielle. Arrosez ensuite le tout de vinaigre en le faisant bien passer sur l'ensemble de la paroi : cela va mousser. Laissez reposer jusqu'à 15 minutes, puis frottez à l'aide d'une brosse. Pour rincer, tirez la chasse !

213

Nettoyage de la vaisselle

Finis les tensioactifs synthétiques, colorants, conservateurs et parfums de synthèse : la vaisselle peut se nettoyer au naturel ! Les recettes que je vous propose à cet effet changent un peu de nos habitudes : un liquide qui mousse un peu moins, de la poudre au lieu des tablettes... elles n'en sont pas moins simples, économiques, et bien meilleures pour l'environnement !

PRÉCAUTIONS

Les huiles essentielles proposées ici permettent de parfumer le mélange, tout en lui apportant une action dégraissante et antiseptique. Veillez à les conserver à l'abri de la lumière et de la chaleur car ce sont des substances volatiles. Par ailleurs, si vous avez un chat ou un enfant en bas âge à la maison, il convient de ne pas les y exposer. Vous pouvez les omettre totalement dans la recette si besoin.

Poudre pour lave-vaisselle

Cette poudre à base d'agents nettoyants basiques fonctionne à merveille pour moins de 10 centimes par lavage. Veillez néanmoins à utiliser des ustensiles et un bocal parfaitement secs afin d'éviter que le mélange ne réagisse en cas de contact avec de l'eau. Par sécurité, portez des gants pour manipuler les ingrédients. N'oubliez pas d'utiliser des sels régénérants en complément.

Pour 1 bocal

★ 2 parts d'acide citrique
★ 2 parts de cristaux de soude anhydres (déshydratés)
★ 1 part de percarbonate de soude
★ 2 parts de sodium coco sulfate
★ 1 bocal hermétique

Préparation

Mélangez tous les ingrédients dans un bocal, que vous fermerez hermétiquement pour abriter la poudre de l'humidité.

Utilisation

Versez l'équivalent d'une cuillerée à café bombée de cette lessive dans le petit bac prévu à cet effet, et lancez la machine normalement.

En guise de liquide de rinçage et pour augmenter l'action anticalcaire de la recette, utilisez du vinaigre blanc.

ASTUCE

Si l'eau est très calcaire dans votre région, n'hésitez pas à augmenter la quantité d'acide citrique de cette recette. Si au contraire votre eau est très douce, utilisez un peu moins de poudre à chaque lavage.

Liquide vaisselle au savon noir

CE LIQUIDE VAISSELLE «MAISON» EST TRÈS SATISFAISANT POUR LE QUOTIDIEN. LE BICARBONATE EST BIEN DISSOUS ET NE LAISSE PAS DE TRACES BLANCHES, LES VERRES SONT BRILLANTS ET LES POÊLES BIEN DÉGRAISSÉES, MÊME S'IL FAUT PARFOIS INSISTER UN PEU. NOTEZ NÉANMOINS QU'IL MOUSSE MOINS QU'UNE VERSION CLASSIQUE – CE QUI NE CHANGE RIEN À SON EFFICACITÉ !

Pour 1 flacon de 500 ml

★ 250 ml d'eau du robinet

★ 150 g de pur savon noir ménager liquide

★ 1 cuill. à soupe de savon de Marseille en paillettes

★ 2 cuill. à soupe de bicarbonate de soude

★ 15 gouttes d'huile essentielle de citron ou de pamplemousse

★ 1 flacon pompe ou 1 ancien flacon de produit vaisselle

Préparation

Faites bouillir l'eau dans une casserole. Quand l'eau a bouilli, versez les copeaux de savon de Marseille et diluez-les bien. Laissez tiédir. Versez le savon noir, le bicarbonate et l'huile essentielle dans l'eau savonneuse et mélangez. Versez le tout dans le récipient, puis laissez refroidir quelques heures avant de l'utiliser.

Utilisation

Secouez bien le produit avant chaque utilisation. Les huiles essentielles d'agrumes sont photosensibilisantes, à moins de choisir des versions sans furocoumarines : veillez à porter des gants pour faire la vaisselle.

Pour venir à bout des nettoyages les plus difficiles, n'hésitez pas à laisser tremper quelques temps votre vaisselle dans de l'eau chaude, puis à vous aider d'une brosse à récurer.

ASTUCE SAVONS

Les copeaux de savon de Marseille permettent d'obtenir une texture gélifiée, pour un résultat plus concentré. Vous pouvez toutefois les omettre, si une texture liquide ne vous dérange pas.

Attention à choisir des savons non glycérinés pour cette recette, afin d'éviter les dépôts gras sur la vaisselle.

Produits pour le sol

COMME LE LINGE, LE SOL EST EN CONTACT PROLONGÉ ET FRÉQUENT AVEC LA PEAU, SURTOUT SI L'ON A L'HABITUDE DE SE DÉPLACER PIEDS NUS À LA MAISON ! IL EST DONC PARTICULIÈREMENT IMPORTANT D'Y ÉVITER LES SUBSTANCES NOCIVES ET LES PARFUMS ALLERGISANTS, AU PROFIT DE SOLUTIONS NATURELLES. OUTRE LEUR TOXICITÉ, L'EAU DE JAVEL ET LES PRODUITS TRÈS DÉSINFECTANTS DU COMMERCE SONT ÉGALEMENT PROBLÉMATIQUES PARCE QU'ILS PERTURBENT L'ÉQUILIBRE BACTÉRIEN DE NOS INTÉRIEURS : UTILISÉS RÉGULIÈREMENT, ILS ENCOURAGENT PARADOXALEMENT LA RÉSISTANCE DE GERMES PATHOGÈNES (UN PEU COMME LES ANTIBIOTIQUES DANS NOTRE CORPS, LORSQUE L'ON EN PREND TROP SOUVENT !).

PRÉCAUTIONS

L'huile essentielle de citron permet de parfumer le mélange, tout en lui apportant une action dégraissante et antiseptique. Veillez à conserver vos huiles essentielles à l'abri de la lumière et de la chaleur car ce sont des substances volatiles. Par ailleurs, si vous avez un chat ou un enfant en bas âge à la maison, il convient de ne pas les y exposer. Vous pouvez les omettre totalement dans la recette si besoin.

Nettoyant minimaliste pour surfaces délicates

Certaines surfaces naturelles comme les parquets bruts et anciens, les pierres naturelles, le marbre… ne supportent pas les produits trop décapants et requièrent un entretien très doux. J'utilise alors un simple mélange d'eau additionnée d'une touche de savon noir, efficace mais respectueux. Ne l'utilisez pas plus de 2 fois par mois sur les parquets non traités, qui pourraient souffrir de l'excès d'eau.

Pour chaque nettoyage

★ 1 seau de 3 l d'eau tiède
★ 1 cuill. à soupe de savon noir liquide

Versez le savon noir dans le seau d'eau et utilisez ce mélange pour nettoyer le sol avec une serpillère en coton. Veillez à bien essorer la serpillère avant de l'appliquer sur le sol pour ne pas surcharger celui-ci en eau. Si vous en sentez le besoin, rincez en passant une deuxième fois la serpillère passée à l'eau claire et essorée.

ASTUCE

Pour faire briller des tomettes en terre cuite ou un parquet brut en bois massif, imbibez un chiffon d'un peu d'huile de lin et frottez-le sur toute la surface. Vous pouvez passer plusieurs couches, espacées de 48 heures, pour bien protéger la matière.

Nettoyant naturel senteur citron

Très simple à réaliser et économique, ce nettoyant naturel pour le carrelage, le linoleum, le parquet vitrifié... est bien efficace : il nettoiera et désinfectera vos sols sans vous intoxiquer grâce à la puissance combinée du savon noir et des cristaux de soude. Par sécurité, portez des gants pour manipuler ces derniers, et faites attention aux émanations lors de la réaction avec l'eau.

Pour une bouteille de 1,5 litre

- ★ 1 l d'eau tiède
- ★ 200 g de savon noir liquide
- ★ 80 g de cristaux de soude
- ★ 120 gouttes d'huile essentielle de citron

Préparation

Versez l'eau dans un grand récipient, puis ajoutez les cristaux de soude, et laissez reposer quelques instants pour que ceux-ci s'y dissolvent. Ajoutez ensuite le savon noir, puis l'huile essentielle. Transvasez dans une bouteille propre.

Utilisation

Pour utiliser ce nettoyant, versez l'équivalent de 1 ou 2 bouchons dans un seau d'eau chaude, et passez le produit sur le sol avec une serpillère en coton. Rincez en passant une deuxième fois avec la serpillère passée à l'eau claire.

Vous pouvez conserver ce nettoyant quelques mois à l'abri de la chaleur et de la lumière.

Un nettoyant efficace, simple et délicieusement citronné !

LE SAVIEZ-VOUS ?

Le vrai savon noir est un produit entièrement biodégradable et naturel, issu de la saponification d'huiles végétales (olive, lin...). On le trouve sous forme de liquide ou de pâte concentrée.

Il est très utile à la maison pour ses propriétés ultra-dégraissantes, détachantes et antiseptiques. Les insectes, en revanche, ne l'aiment pas beaucoup : il est donc également efficace comme répulsif contre les nuisibles !

Astuces ménagères green

LES MÊMES INGRÉDIENTS BASIQUES
ESSENTIELS, COMME LE BICARBONATE
DE SOUDE, LE SAVON NOIR OU LE VINAIGRE
BLANC, SERVENT À ASSAINIR L'ENSEMBLE
DE LA MAISON SANS TOXICITÉ !
VOICI QUELQUES AUTRES ASTUCES
UTILES DANS LA VIE COURANTE.

Déboucher un évier

Si l'écoulement de votre évier, lavabo ou baignoire est ralenti, essayez la solution suivante avant d'investir dans un produit spécifique.

Commencez par récupérer et éliminer les éventuels restes d'aliments ou de cheveux qui encombreraient le passage. Versez 1 ou 2 cuillerées à soupe de bicarbonate de soude dans la canalisation, puis arrosez de vinaigre blanc (l'équivalent d'un petit verre par exemple, ou plus). Le mélange va mousser. Laissez reposer environ ½ heure avant de rincer à l'eau très chaude.

Vous pouvez également suivre cette méthode en entretien de vos canalisations, avant qu'elles se bouchent !

AU JARDIN AUSSI !

Nettoyez vos allées et les dalles avec une eau savonneuse au savon noir, additionnée de quelques gouttes d'huile essentielle de tea tree, pour éviter le développement de mousse. Alternativement, vous pouvez saupoudrer du bicarbonate de soude entre les pierres et les dalles pour ralentir la repousse de mauvaises herbes.

Assainir des W.-C.

Pour détartrer et désinfecter vos toilettes, essayez la méthode suivante :

Le bicarbonate de soude et le vinaigre suffisent normalement à détartrer des W.-C. (voir p. 213). Si toutefois cette méthode n'est pas tout à fait suffisante, pensez aux cristaux de soude, dont l'action est plus puissante. Remplissez un petit verre de cristaux de soude, que vous disperserez dans la cuvette. Laissez agir plusieurs heures, toute une nuit si possible, puis frottez avec une brosse. Rincez avec ½ litre de vinaigre blanc avant de tirer la chasse.

Nettoyer des vitres ou une douche

Quand il s'agit de détartrer et faire briller, le vinaigre est notre meilleur allié !

Remplissez un flacon spray de 1 litre avec 750 ml d'eau chaude et 250 ml de vinaigre blanc, et vaporisez sur vos vitres ou votre douche. Frottez avec une éponge humide, puis essuyez immédiatement à l'aide d'un chiffon (de préférence en microfibre, pour qu'il ne peluche pas).

Désodoriser un réfrigérateur

Pour éliminer les mauvaises odeurs de votre frigo en quelques minutes, déposez-y une petite coupelle contenant 2 cuillerées à soupe de bicarbonate de soude. Son effet absorbant est magique ! Pensez à renouveler la coupelle tous les mois.

DÉSODORISANT POUR LITIÈRE

Vous pouvez utiliser cette astuce pour le bac à litière de votre chat, en y dispersant une fine couche avant de verser le sable.

Désinfecter une éponge

Pour une hygiène impeccable, il est important que l'éponge avec laquelle vous lavez la vaisselle soit propre ! Une bonne manière d'éviter le développement de bactéries est de la laisser tremper régulièrement dans de l'eau vinaigrée (environ 1 petit verre de vinaigre blanc pour 1 litre d'eau chaude).

Nettoyer un four encrassé

Saupoudrez le fond et les parois du four avec du bicarbonate de soude. Armez-vous d'une éponge humide additionnée de quelques gouttes de savon noir, et frottez. La texture légèrement abrasive du bicarbonate devrait vous aider à éliminer plus facilement les déchets collés.

Dégraisser un meuble

Préparez une bassine d'eau chaude. Versez-y 2 bonnes cuillerées à soupe de savon noir liquide et mélangez bien. Il vous suffira ensuite de tremper un chiffon ou une éponge dans cette eau savonneuse pour frotter toutes les surfaces. Passez l'éponge sous l'eau claire et passez une deuxième fois partout pour bien rincer, puis essuyez. Grâce au pouvoir dégraissant et désinfectant du savon noir, votre meuble sera à nouveau parfaitement propre !

Désincruster une tache sur un meuble

Des traces se sont incrustées sur votre étagère ou votre plan de travail blanc, et vous peinez à les faire disparaître avec un simple spray nettoyant ? Pour éliminer une tache récalcitrante sur ce type de surface plastique (ou dotée d'un revêtement plastique), saupoudrez un peu de bicarbonate sur la zone concernée et frottez à l'aide d'un torchon humide.

HUILES
essentielles

Souvent méconnues, craintes, ou considérées comme une affaire de spécialiste, les huiles essentielles n'ont pas toujours bonne réputation. Pourtant, elles constituent des remèdes naturels d'une rare efficacité pour un grand nombre de problèmes physiques ou émotionnels !

Certaines d'entre elles, très douces, peuvent même devenir de véritables couteaux suisses pour toutes sortes de domaines du quotidien.

Huiles essentielles

UNE HUILE ESSENTIELLE EST UN CONCENTRÉ DES COMPOSÉS ORGANIQUES AROMATIQUES D'UNE PLANTE. CEUX-CI PEUVENT ÊTRE EXTRAITS DES FEUILLES, DES FLEURS, DE L'ÉCORCE, DES FRUITS, DES GRAINES, DU ZESTE, ETC. SELON LE TYPE DE VÉGÉTAUX. ILS CONTIENNENT CHACUN UNE GRANDE QUANTITÉ DE PRINCIPES ACTIFS DIFFÉRENTS (TERPÈNES, PHÉNOLS, COUMARINES, ÉTHERS, CÉTONES..) QUI, ENSEMBLE, OFFRENT DES PROPRIÉTÉS UNIQUES ET PUISSANTES.

Parce que leurs senteurs stimulent la partie la plus primaire de notre cerveau, les huiles essentielles peuvent jouer sur nos émotions et équilibrer nos états nerveux. Mais elles sont aussi de remarquables remèdes naturels : leurs propriétés anti-infectieuses, antivirales et antiseptiques ne sont plus à prouver, tandis que nombre d'entre elles peuvent également agir sur la digestion, la douleur, les hormones, la circulation du sang…

Pour toutes ces raisons, elles sont de précieuses alliées pour soigner les petits maux du quotidien, et constituent une alternative intéressante à l'allopathie dans certains cas, à condition de savoir les utiliser. Ma grand-mère et ma mère ont pris soin de mes petits bobos avec des huiles essentielles depuis mon enfance, et aujourd'hui je les utilise à mon tour dans toutes sortes de situations : les essayer, c'est les adopter !

Dans les pages suivantes, je vous propose une sélection des huiles essentielles « indispensables » – les plus pratiques et utiles dans la vie courante à mon sens – et quelques exemples concrets de la façon de les mettre à profit.

Utiliser avec modération

Les huiles essentielles sont des actifs très puissants : utilisez-les avec modération, en suivant les dosages conseillés. En cas de doute, référez-vous à un ouvrage de référence ou consultez un aromathérapeute.

Ne pas les appliquer pures

Seules certaines huiles essentielles peuvent s'appliquer pures sur la peau ; sauf mention spécifique, il convient donc de toujours les diluer dans de l'huile végétale (elles ne sont pas solubles dans l'eau). Lorsqu'une

Les huiles essentielles sont obtenues par distillation d'extraits végétaux.

Il faut diluer les huiles essentielles dans une huile végétale, d'olive par exemple.

huile essentielle peut être appliquée pure, mieux vaut la limiter à un usage très localisé.

Ne pas les avaler

Seules certaines huiles peuvent être administrées par voie orale ou utilisées en cuisine : sauf mention contraire, ne les avalez pas. En cas d'ingestion accidentelle, avalez de l'huile végétale pour diluer l'huile essentielle et appelez un centre antipoison.

Respecter les contre-indications

Sauf mention contraire, évitez l'usage des huiles essentielles pendant la grossesse, l'allaitement, et sur les enfants de moins de 6 ans. Ne les utilisez pas sans avis médical sur les bébés de moins de 3 mois et les personnes souffrant de graves problèmes de santé. Si vous avez un chat, il convient également de ne pas l'y exposer. Globalement, référez-vous toujours aux contre-indications spécifiques de chaque essence.

Faire des tests d'allergie

Certaines huiles essentielles sont potentiellement allergisantes pour les personnes sensibles. Effectuez toujours un test d'allergie sur votre bras avant la première application : appliquez 1 goutte diluée dans quelques

gouttes d'huile végétale, et surveillez une éventuelle réaction dans les heures suivantes.

Ne pas appliquer autour des yeux ou dans les yeux

Lavez-vous toujours les mains après avoir manipulé vos flacons. En cas de contact accidentel avec les yeux, ne rincez pas à l'eau, mais versez une quantité généreuse d'huile végétale. Consultez votre médecin si nécessaire.

Ne pas surestimer leur pouvoir

Les huiles essentielles sont des actifs naturels qui peuvent faire office de premiers traitements d'appoint en cas d'affection légère ou pour les petits maux du quotidien. Elles ne remplacent pas un traitement médical prescrit par un spécialiste. Si vos symptômes persistent, s'aggravent, ou vous semblent anormaux, cessez vos soins et consultez un médecin rapidement.

Faire attention au soleil

Certaines huiles essentielles, comme les agrumes, sont très photosensibilisantes : ne vous exposez pas au soleil dans les 6 heures suivant leur application.

L'huile essentielle de citronnelle peut être diffusée contre les moustiques.

Lavande vraie

SI VOUS DEVIEZ POSSÉDER UNE SEULE HUILE ESSENTIELLE, CE SERAIT CELLE DE LAVANDE VRAIE (APPELÉE AUSSI LAVANDE FINE, OU LAVANDE OFFICINALE !) BONNE À TOUT FAIRE, OU PRESQUE, ELLE VOUS AIDERA À GÉRER TOUS LES PETITS MAUX DU QUOTIDIEN. JE L'EMPORTE PARTOUT : IL Y A TOUJOURS UN FLACON DE LAVANDE DANS MON SAC À MAIN !

PROPRIÉTÉS

- Apaisante pour le système nerveux, sédative
- Décontractante, puissamment antispasmodique
- Antiseptique et antibactérienne puissante, vermifuge
- Anti-inflammatoire
- Antidouleur, anesthésique local
- Cicatrisante
- Insectifuge

PRÉCAUTIONS

À éviter pendant les 3 premiers mois de grossesse.
Elle ne possède aucune autre contre-indication ; c'est une huile essentielle particulièrement bien tolérée, même pure.

COMMENT L'UTILISER

❦ **En cas de stress ou d'angoisse**, j'applique 1 ou 2 gouttes sur mes poignets, que je frotte l'un contre l'autre, puis que je respire profondément. On peut compléter par une application de 2 gouttes en massage sur le plexus solaire. Pour m'apaiser avant de dormir, je dépose quelques gouttes sur ma taie d'oreiller (attention aux taches sur les tissus précieux !) ou un mouchoir.

❦ **La lavande tend à éloigner les moustiques communs.** Diluez quelques gouttes dans 1 cuillerée à soupe d'huile végétale ou de gel d'Aloe vera, et étalez ce mélange sur vos bras, jambes, pieds... avant de sortir les soirs d'été.

❦ **C'est aussi un excellent soin apaisant** lorsque l'on a été piqué par un insecte : versez une goutte sur chaque piqûre et massez ; renouvelez l'opération 2 ou 3 fois dans la journée si nécessaire.

❦ **Elle apaise et désinfecte.** Avec des doigts très propres, massez une goutte de cette huile essentielle sur vos petits coups et éraflures pour les apaiser et les désinfecter. Son action cicatrisante sera également bénéfique.

❦ **Votre piercing chauffe et s'infecte ?** Déposez-y une goutte de lavande et faites rouler ou coulisser le bijou pour que l'huile essentielle puisse atteindre l'intérieur de la chair. Renouvelez l'application 2 ou 3 fois par jour, jusqu'à ce que l'inflammation ait disparu.

❦ **En cas de maux de tête,** frottez une goutte entre la pulpe de vos deux index, puis massez-en délicatement vos tempes. Attention toutefois à ne pas trop vous approcher de vos yeux.

❦ **Si une gencive ou une dent vous fait mal** (poussée, inflammation...), massez 1 goutte de lavande sur la zone en question. Le goût est très désagréable, mais l'action apaisante est particulièrement efficace.

❦ **Pour les boutons.** J'utilise cette huile essentielle comme actif antibactérien dans le traitement de mes petits boutons sur le visage (voir p. 195) et pour mes masques purifiants du cuir chevelu (voir p. 203).

❦ **Ses propriétés antibactériennes et son parfum** de Provence sont idéaux pour parfumer les produits pour le linge faits maison (voir p. 210). Elle est aussi très utile dans les soins cheveux faits maison en cas d'irritations (voir p. 205).

❦ **Pour éloigner les mites de mes vêtements,** je verse quelques gouttes sur un bloc de bois (de cèdre de préférence) que je place dans mon armoire.

❦ **Les muscles contracturés** apprécieront un massage à la lavande. Diluez quelques gouttes dans un fond de paume d'huile végétale et appliquez ce mélange sur les zones concernées.

Tea tree

SON ODEUR TRÈS AROMATIQUE, PRESQUE MÉDICINALE, EST SOUVENT PEU APPRÉCIÉE. L'HUILE ESSENTIELLE DE TEA TREE, OU ARBRE À THÉ, EST TOUTEFOIS INDISPENSABLE POUR LUTTER EFFICACEMENT ET NATURELLEMENT CONTRE TOUS LES TYPES D'INFECTIONS.

PROPRIÉTÉS

- Anti-infectieuse
- Antibactérienne à large spectre
- Antiseptique
- Antifongique (surtout contre *Candida albicans*)
- Antivirale
- Antiacarienne
- Antiparasitaire
- Tonique
- Stimulante immunitaire

PRÉCAUTIONS

À éviter pendant les 3 premiers mois de grossesse. Elle ne possède aucune autre contre-indication, mais peut s'avérer sensibilisante sur les peaux réactives : faites un test d'allergie au creux du bras avant la première utilisation. Il sera également préférable dans ce cas de toujours l'utiliser légèrement diluée.

COMMENT L'UTILISER

Pour les boutons. Seule ou en association avec d'autres huiles essentielles (manuka, lavande...), elle sert à traiter des boutons ponctuels. Je l'applique pure sur la zone à traiter, jusqu'à 3 ou 4 fois par jour.

Le tea tree est très efficace sur les champignons cutanés. Diluez-en quelques gouttes, éventuellement accompagnées d'huile essentielle de palmarosa, dans 1 cuillerée à soupe d'huile végétale, et massez sur la zone concernée jusqu'à 3 fois par jour.

En cas de légère candidose vaginale, vous pouvez diluer 3 ou 4 gouttes dans 1 cuillerée à café de gel d'Aloe vera ou d'huile végétale, et appliquer ce mélange sur les zones touchées, même les parois internes. Renouvelez jusqu'à 2 fois par jour. Plus pratique encore, il est possible d'en imbiber un tampon hygiénique (bio !) et de l'insérer pour toute la nuit. Si vos symptômes persistent, il faudra toutefois consulter un médecin.

J'aime ajouter du tea tree à mes inhalations lorsque je suis enrhumée, en accompagnement du ravintsara, de la lavande et de l'eucalyptus. Pour l'équivalent d'un bol d'eau bouillante, je compte 6 à 8 gouttes d'huiles essentielles en tout. Il suffit ensuite d'en respirer profondément les vapeurs pour désinfecter les voies respiratoires.

1 ou 2 gouttes ajoutées sur le dentifrice de temps en temps au moment du brossage permettent de renforcer l'hygiène buccale.

En cas de piqûres d'insectes, le tea tree est un bon apaisant. Appliquez-en 1 goutte sur la zone concernée et massez.

Ses vertus antiseptiques et antibactériennes sont exploitables dans les soins faits maison (peau à problèmes, cuir chevelu gras...) et dans les produits ménagers naturels.

Ravintsara

L'HUILE ESSENTIELLE DE RAVINTSARA OU RAVINTSARE, CAMPHRIER DE MADAGASCAR, EST L'ANTIVIRAL NATUREL LE PLUS EFFICACE CONNU À CE JOUR. PARCE QU'ELLE EST EN OUTRE TRÈS BIEN TOLÉRÉE À TOUT ÂGE, ELLE EST À MON SENS INDISPENSABLE DANS TOUTES LES ARMOIRES À PHARMACIE.

PROPRIÉTÉS

- Antivirale exceptionnelle
- Anti-infectieuse, évite la surinfection
- Immunostimulante puissante
- Antidouleur, antispasmodique
- Neurotonique, agit comme stimulant intellectuel

PRÉCAUTIONS

Pas de contre-indications, sauf pendant la grossesse, où il vaut mieux l'éviter. Son innocuité et sa douceur sur la peau la rendent idéale pour tous, même les bébés.

COMMENT L'UTILISER

En cas d'épidémie liée à un virus (rhume, gastroentérite…), je masse 2 ou 3 fois par jour quelques gouttes de ravintsara autour de mes narines, sur ma poitrine et l'intérieur de mes poignets, afin de stimuler mes défenses naturelles et éviter la contamination.

Quand je sens que je tombe malade, le ravintsara aide à minimiser l'action du virus dès les premiers symptômes : 1 ou 2 gouttes versées sur 1 cuillerée à café de miel ou d'huile d'olive, 3 fois par jour, peuvent faire des miracles.

Son efficacité particulière sur les voies respiratoires rend cette essence indispensable pour les inhalations en cas de rhume ou d'infection ORL, en association avec d'autres huiles antivirales (eucalyptus, tea tree, lavande…). Versez 6 à 8 gouttes en tout dans un bol d'eau fraîchement bouillie, et respirez-en profondément les vapeurs pendant environ 5 minutes.

NE CONFONDEZ PAS !

Le ravintsara est différent du ravensare, qui n'a pas du tout les mêmes propriétés !

Citron

À LA FOIS DÉTOX ET PURIFIANTE, L'HUILE ESSENTIELLE DE CITRON EST UTILE DANS LA SPHÈRE DIGESTIVE ET CIRCULATOIRE, AINSI QUE POUR DÉSINFECTER LA MAISON. LES GOURMANDES APPRÉCIERONT ÉGALEMENT SA SAVEUR RAFRAÎCHISSANTE EN CUISINE !

PROPRIÉTÉS

- Régulatrice du foie et du pancréas, aide à la digestion
- Drainante, diurétique
- Aide à déstocker les graisses
- Antinausées, antivomitive
- Anticellulite
- Antiseptique aérienne et générale, antivirale et antibactérienne
- Fluidifiante sanguine
- Régulatrice du système nerveux, stimulante

PRÉCAUTIONS

À éviter pendant les 3 premiers mois de grossesse. Ne jamais utiliser pure sur la peau : diluez-la généreusement dans de l'huile végétale. Attention, comme tous les agrumes, l'huile essentielle de citron est extrêmement photosensibilisante et peut créer des taches indélébiles sur la peau : ne vous exposez pas au soleil durant 6 à 8 heures après l'application.

COMMENT L'UTILISER

En cas d'indigestion et autres sensations de lourdeurs (période de fêtes, etc.), je verse 1 ou 2 gouttes dans un verre d'eau tiède pour stimuler mon foie.

Pour lutter contre les nausées, versez 1 goutte dans 1 cuillerée à café de miel, et laissez fondre dans la bouche.

Ses propriétés antiseptiques sont parfaites pour la maison, notamment pour parfumer et renforcer les produits ménagers faits maison. On peut aussi purifier l'air ambiant en l'utilisant dans un diffuseur aromatique en cas de virus.

À défaut de zeste de citron frais, j'ajoute 5 ou 6 gouttes de cette huile essentielle dans ma pâte à gâteau.

Je profite de ses vertus purifiantes dans mon shampoing personnalisé (voir p. 202). On peut également l'ajouter à un masque purifiant du cuir chevelu au rhassoul (voir p. 203).

On peut réaliser une huile de massage drainante et anticellulite en versant 2 ou 3 gouttes dans 1 cuillerée à soupe d'huile végétale, à condition de ne pas s'exposer dans les 6 heures consécutives – préférez donc une application le soir. Massez profondément la zone concernée, et renouvelez tous les jours si nécessaire.

Palmarosa

C'EST L'HUILE À TOUT FAIRE
DES PROBLÈMES DE PEAU,
QUELS QU'ILS SOIENT. ELLE CONSTITUE
AUSSI UN BON DÉODORANT NATUREL ET
UNE AIDE PRÉCIEUSE CONTRE LES MYCOSES.

PROPRIÉTÉS

- 🌿 Antibactérienne puissante
- 🌿 Antimycosique, antifongique puissante
- 🌿 Antivirale, anti-infectieuse
- 🌿 Stimulante immunitaire
- 🌿 Stimule l'utérus, facilite l'accouchement

PRÉCAUTIONS

À proscrire pendant la grossesse
(sauf pour l'accouchement)
et l'allaitement.

COMMENT L'UTILISER

Elle fait office de déodorant naturel grâce à son action antibactérienne et équilibrante pour la flore cutanée. Utilisez-la pure ou mélangée dans un peu d'huile de coco. Comptez 2 gouttes par aisselle. Vous pouvez aussi en masser quelques gouttes sur vos pieds pour éviter les odeurs désagréables.

Pour cicatriser les boutons d'acné, massez 1 goutte directement sur le pore inflammé, ou diluez 1 goutte dans 5 gouttes d'huile végétale (nigelle, jojoba...), puis massez la zone concernée.

Associée au tea tree, elle aide à combattre les mycoses. Pour une application cutanée, appliquez 2 gouttes de chaque, pures ou diluées dans 1 cuillerée à café d'huile végétale, 2 fois par jour, sur la zone concernée. En cas de mycose vaginale, vous pouvez également la combiner avec l'arbre à thé en suivant les instructions p. 226.

En cas de démangeaisons dans l'oreille, imbibez un coton tige d'un peu d'huile de coco et d'une goutte de palmarosa, et appliquez délicatement matin et soir. Cette astuce fonctionne également avec la lavande.

D'autres huiles essentielles utiles

BASILIC TROPICAL

J'utilise cette huile en cas de douleurs abdominales (digestion, menstruations…).

Il ne faut pas l'utiliser pure parce qu'elle est irritante, mais ses propriétés antispasmodiques et anti-inflammatoires sont précieuses. Diluez 2 à 4 gouttes dans ½ cuillerée à café d'huile végétale et massez votre abdomen ou votre bas-ventre dans le sens des aiguilles d'une montre.

PRÉCAUTIONS

À éviter pendant les 3 premiers mois de grossesse et chez les enfants de moins de 3 ans. Veillez toujours à la diluer.

EUCALYPTUS RADIÉ

Ses propriétés antiseptiques, expectorantes et décongestionnantes sont précieuses en cas de rhume ou de rhinite allergique.

Je l'utilise ainsi en inhalation, ou en versant quelques gouttes à respirer sur un mouchoir. On peut aussi en mettre quelques gouttes dans un diffuseur pour une atmosphère rafraîchissante.

PRÉCAUTIONS

À éviter pendant les 3 premiers mois de grossesse. Ne pas confondre avec les autres variétés de l'eucalyptus, qui sont irritantes et plus délicates à doser.

CITRONNELLE

C'est l'essence anti-moustiques par excellence, bien qu'elle soit encore plus efficace en association avec le géranium et la lavande.

Pour éloigner les insectes, vous pouvez l'utiliser en diffusion atmosphérique, ou diluer quelques gouttes dans de l'huile végétale, que vous appliquerez sur votre corps. Notez qu'il est nécessaire de renouveler souvent l'application pour rester protégé.

PRÉCAUTIONS

À éviter pendant les 3 premiers mois de grossesse. Veillez à toujours la diluer.

GAULTHÉRIE COUCHÉE

C'est l'huile essentielle de toutes les douleurs inflammatoires (rhumatismes, tendinite, torticolis…) et musculaires (crampes, courbatures, fatigue…).

Versez 2 gouttes dans 1 cuillerée à café d'huile végétale (l'huile d'arnica serait idéale pour renforcer les effets) et massez la zone touchée. Attention à bien la diluer et à ne pas l'utiliser sur des surfaces trop étendues, car elle est irritante et échauffante.

PRÉCAUTIONS

À proscrire chez la femme enceinte et les enfants de moins de 6 ans, ainsi que, par prudence, chez les personnes allergiques à l'aspirine, car elle contient du salicylate de méthyle naturel.

LAURIER NOBLE

Excellente antibactérienne, antifongique et purifiante, l'essence de laurier noble est aussi tonifiante pour le cuir chevelu.

Je l'emploie principalement pour assainir mes racines, dans un shampoing personnalisé ou un masque purifiant (voir p. 202). Elle est aussi très utile sur les champignons et les mycoses, mais il faut la diluer dans de l'huile végétale et l'utiliser parcimonieusement, car elle est très puissante. En cas de grippe ou autre virus, elle fait aussi des merveilles en inhalation.

PRÉCAUTIONS

À éviter pendant les 3 premiers mois de grossesse. Attention, cette huile essentielle est potentiellement allergisante : si vous avez un terrain allergique, faites un petit test sur votre bras avant toute utilisation.

MANUKA

Antibactérienne très puissante, anti-inflammatoire et cicatrisante cutanée, cette huile est précieuse pour les peaux à problèmes.

Combinée au tea tree, son action est décuplée : appliquez 1 goutte directement sur vos boutons, ou ajoutez-la à votre crème ou huile hydratante pour traiter l'ensemble de votre visage.

PRÉCAUTIONS

À proscrire chez la femme enceinte et allaitante et les enfants de moins de 7 ans.

MENTHE POIVRÉE

Sa fraîcheur caractéristique en fait l'alliée des problèmes digestifs, du manque de tonus et des migraines.

La menthe poivrée fait des merveilles pour les maux de tête (1 goutte à répartir sur deux doigts pour masser les tempes).

Elle est très utile pour les nausées et digestions lourdes : à humer sur un mouchoir, ou 1 goutte sur un sucre à laisser fondre sur la langue. Je ne la recommande toutefois pas aux complets débutants : très puissante, irritante et réfrigérante pour la peau, elle doit être dosée avec beaucoup de soin, sur des zones très limitées, et de façon ponctuelle uniquement.

PRÉCAUTIONS

À proscrire chez la femme enceinte et allaitante, les enfants de moins de 6 ans et les personnes âgées. Attention également si vous souffrez d'une pathologie ovarienne ou œstrogéno-dépendante.

PETIT GRAIN BIGARADE

Avec son parfum apaisant proche de la fleur d'oranger, le petit grain bigarade soutient et équilibre la sphère émotionnelle.

En cas de déprime, stress, angoisse, troubles du sommeil... j'aime l'associer à la lavande vraie pour un effet relaxant immédiat : j'applique 2 gouttes de chaque sur mes poignets, je masse et je respire profondément leur senteur jusqu'à me sentir plus calme.

PRÉCAUTIONS

À éviter pendant les 3 premiers mois de grossesse.

AUTOMASSAGES
♡ & bien-être ♡

Apprendre quelques gestes basiques d'automassage,
c'est s'offrir une manière naturelle de soulager différents maux
du quotidien. Quoi de plus agréable que quelques gestes bien
choisis quand on a la tête comme dans un étau ou le ventre
tordu de stress ? Les tensions accumulées se dénouent,
certains organes clés sont stimulés, et l'on se sent déjà mieux !

Les massages permettent aussi d'acquérir petit à petit une meilleure
écoute de notre corps et de ses signaux, pour un mieux-être durable.

Mes petits massages de la tête

JE SUIS UNE GRANDE ADEPTE DES
AUTOMASSAGES DE LA TÊTE : À MON SENS,
IL N'Y A RIEN DE PLUS PROFONDÉMENT
RELAXANT ! LE VISAGE ET LE CRÂNE
SONT DE VRAIS NŒUDS DE TENSIONS
AU QUOTIDIEN, PUISQUE LEURS MUSCLES
FAÇONNENT TOUTES NOS EXPRESSIONS
NÉGATIVES (FATIGUE, PRÉOCCUPATION,
DOULEUR, ANXIÉTÉ, CONTRARIÉTÉS,
COLÈRE..). DE SIMPLES PETITS GESTES
EFFECTUÉS PENDANT QUELQUES SECONDES
PEUVENT APPORTER UN VÉRITABLE MIEUX-
ÊTRE : LES TISSUS SE DÉTENDENT,
LA CIRCULATION EST STIMULÉE
ET TOUTE LA ZONE MASSÉE S'ALLÈGE.

*Pensez-y quand vous
vous sentez stressé(e), tendu(e),
ou proche de la migraine :
ils peuvent s'effectuer à peu
près n'importe où !*

DÉTENDRE LE CUIR CHEVELU

*Mobiliser la peau du cuir chevelu est
toujours extrêmement relaxant, qu'il s'agisse
d'un automassage ou qu'une bonne âme
s'en occupe pour nous. Ce type de massage
permet de décongestionner la tête et d'activer
la circulation : on se sent plus léger, et les
cheveux en profitent par la même occasion
(pousse plus rapide, plus de volume) !*

Posez le bout des doigts écartés de chaque côté du
haut du crâne. Vous pouvez les placer sur les cheveux,
ou les faire passer par-dessous s'ils sont longs, pour
un contact plus direct avec le cuir chevelu (ça glisse
moins !). Tout en maintenant une certaine pression,
sans lever les doigts, effectuez des petits mouvements circulaires pour « décoller » la peau du crâne.
Déplacez petit à petit vos doigts sur toute la surface
pour masser l'ensemble de la tête.

SOULAGER LES TEMPES

Les tempes sont souvent les premières à souffrir lorsque, avec la fatigue, des maux de tête se déclarent. Un petit massage, associé par exemple à une goutte d'huile essentielle de lavande, peut aider à soulager la douleur.

Encadrez votre visage avec vos mains et massez-vous doucement les tempes du bout des doigts, en effectuant des petits mouvements circulaires. Vous pouvez également remonter le long du visage et plaquer vos paumes de mains de chaque côté, en effectuant des mouvements circulaires plus larges.

PRESSER L'ARCADE SOURCILIÈRE

Le coin où se joignent le nez et l'arcade sourcilière est une zone de tensions. Quand on y effectue une pression, la sensation est légèrement douloureuse, mais le résultat en vaut la peine : on sent son regard plus ouvert, sa tête plus légère, et son cou plus détendu !

Placez le bout des pouces de chaque côté du haut du nez, là où l'os rejoint celui des sourcils. Relâchez la tête vers l'avant, pour qu'elle pèse sur les pouces, et laissez s'effectuer cette pression durant quelques secondes. Si vous le souhaitez, vous pouvez compléter le geste par un petit massage des sourcils, en faisant glisser les pouces appuyés le long de l'arcade sourcilière, vers l'extérieur du visage, plusieurs fois de suite.

ALLÉGER LE FRONT

Quand les soucis, les contrariétés et la fatigue nous assaillent, le front se contracte et concentre toute la négativité. Il peut également être très tendu lorsque nous sommes concentrés sur une tâche. Offrez-lui un peu de détente de temps en temps !

Placez le bout du majeur entre les deux sourcils et effectuez une légère pression. En maintenant cette pression, faites-le glisser en ligne droite jusqu'à la racine des cheveux, plusieurs fois de suite. Répétez le mouvement en dessinant des lignes en éventail, pour détendre petit à petit tout le front.

APAISER LES YEUX

Quand on passe la journée devant un ordinateur, les yeux fatiguent très vite. La technique du palming est parfaite pour les reposer quelques instants.

Frottez énergiquement vos paumes de mains l'une contre l'autre pour qu'elles chauffent. Collez-les ensuite sur les yeux, pendant quelques secondes, et détendez les épaules. La chaleur va se diffuser dans les muscles oculaires et l'obscurité vous apportera un peu de répit.

Mes petits réflexes antistress

QUAND NOUS SOMMES STRESSÉS
OU ANGOISSÉS, CET ÉTAT SE MANIFESTE
PHYSIQUEMENT : LE CŒUR BAT PLUS
FORT, L'ESTOMAC SE NOUE, LES ÉPAULES
SE CRISPENT... POUR DÉNOUER
LES TENSIONS, QUELQUES PRESSIONS
SUR DES POINTS STRATÉGIQUES,
COUPLÉES À UNE RESPIRATION PROFONDE,
PEUVENT ÊTRE D'UNE GRANDE AIDE.

RESPIRATION ABDOMINALE

Nous avons pour la plupart une respiration de mauvaise qualité : courte, uniquement avec le haut de la poitrine, elle n'apporte que peu d'oxygène. C'est encore pire quand nous sommes stressés – peut-être avez-vous même déjà connu des sensations d'étouffement. En se concentrant au contraire sur une respiration abdominale, lente et profonde, les muscles du ventre se relaxent, le cœur ralentit et l'esprit se détache de son avalanche de pensées négatives.

Cette respiration se pratique de préférence en position assise, mais vous pouvez aussi l'expérimenter couchée ou debout.

Commencez par détendre complètement l'abdomen : relâchez les abdominaux et laissez le ventre ressortir naturellement. Posez une main sur la poitrine et une main sur le ventre. Prenez alors une grande inspiration, lente et profonde, en comptant jusqu'à 5. Imaginez que l'air que vous inspirez est poussé jusqu'en bas du ventre, qui se gonfle : la main sur la poitrine ne bouge pratiquement pas, tandis que la main sur le ventre est soulevée. Bloquez votre respiration deux secondes, puis expirez très lentement, la bouche ouverte si vous le souhaitez, en comptant jusqu'à 10. Tenez à nouveau 2 secondes en bloquant votre respiration, puis recommencez en inspirant jusqu'à 5, etc.

Vous pouvez pratiquer cette respiration plusieurs minutes, plusieurs fois par jour, pour un mieux-être général, ou en cas de crise. Avec la pratique, vous arriverez peut-être à allonger la respiration, jusqu'à 6-12, ou 10-20, par exemple.

MASSAGE DU PLEXUS SOLAIRE

Le plexus solaire est un centre neurovégétatif du corps. Un grand réseau de nerfs s'y concentre, partant de ce point comme pour former une toile d'araignée. Pour cette raison, c'est un point de tension important, surtout en cas d'émotions négatives, et donc aussi une zone stratégique à masser en cas de stress !

Asseyez-vous, le dos bien droit. Posez une main au niveau de l'estomac et cherchez avec le pouce l'endroit juste au-dessous du sternum, au centre, où se rejoignent les deux dernières côtes. Effectuez avec le pouce une pression sur ce point (il est possible qu'il soit légèrement douloureux, ou tendu), et maintenez-la pendant quelques respirations profondes avant de relâcher. Vous pouvez ensuite effectuer des petits massages circulaires avec deux doigts dans le sens des aiguilles d'une montre.

Si c'est plus confortable pour vous, effectuez ce massage en position allongée.

MASSAGE DU PIED

En réflexologie plantaire (voir p. 238), le creux du pied, juste sous la partie charnue de l'appui avant, correspond au plexus solaire. Il est donc intéressant de masser cette zone. Profitez-en pour prodiguer vos attentions au reste de la plante du pied, ce qui permettra de détendre et rééquilibrer tout votre organisme !

Asseyez-vous confortablement. Versez-vous dans les mains quelques gouttes d'huile végétale de votre choix, éventuellement additionnée de deux gouttes d'huile essentielle de lavande. Attrapez un pied et commencez par masser légèrement toute sa plante. Avec un pouce, effectuez enfin une pression douce sur le point réflexe du plexus solaire, et maintenez-la quelques minutes en augmentant l'appui petit à petit, de façon à détendre profondément la zone. Respirez calmement. Vous pouvez compléter ce geste par quelques mouvements circulaires avec le pouce sur le même point, dans le sens des aiguilles d'une montre.

Répétez le processus sur le deuxième pied. Attention à ne pas glisser en vous relevant !

ÉTIREMENTS ET BÂILLEMENTS

Si vous avez un chat, il vous est sûrement arrivé d'admirer son don pour la relaxation. Son secret est très simple (outre sa vie pas trop difficile, je vous l'accorde !) : les étirements et les bâillements ! Prenez exemple sur lui et apportez à tout votre organisme un peu de détente.

Étirez-vous dans tous les sens, surtout au niveau du buste : levez les bras au ciel, roulez les épaules en arrière, faites des mouvements circulaires avec le cou, penchez le thorax d'un côté, puis de l'autre, mettez-vous à quatre pattes pour arrondir le dos… Bref, suivez vos sensations et faites ce qui vous semble le plus agréable ! N'hésitez pas non plus à relâcher et étirer la mâchoire pour provoquer quelques bâillements.

Quelques astuces de réflexologie

LES EXTRÉMITÉS DU CORPS — PIEDS ET MAINS — COMPORTENT DES TERMINAISONS NERVEUSES CONNECTÉES À TOUS NOS ORGANES, COMME UN MIROIR DE NOTRE ANATOMIE. POUR CETTE RAISON, ILS CONSTITUENT DES ZONES PRIVILÉGIÉES POUR STIMULER OU RÉÉQUILIBRER CERTAINES PARTIES DE NOTRE ORGANISME À L'AIDE DE PETITS MASSAGES ET PRESSIONS. ON APPELLE CETTE TECHNIQUE LA RÉFLEXOLOGIE.

MA MÈRE Y AVAIT SOUVENT RECOURS POUR CALMER MON STRESS, AINSI QUE MON MAL DES TRANSPORTS, LORSQUE J'ÉTAIS ENFANT ; JE M'Y INTÉRESSE À MON TOUR AUJOURD'HUI. SANS ÊTRE EXPERT EN LA MATIÈRE, IL EST ASSEZ AISÉ DE S'APPROPRIER QUELQUES GESTES SIMPLES POUR SOULAGER LES MAUX DU QUOTIDIEN !

LA RÉFLEXOLOGIE

La réflexologie remonterait à l'Antiquité, et aurait été pratiquée par les Égyptiens et les Chinois. Sa version moderne a été développée au début du XXe siècle, notamment par le Dr Fitzgerald, qui remarqua une atténuation de la douleur de ses patients lorsqu'il effectuait des pressions sur certaines zones du corps. Ces observations ont finalement été théorisées sous la forme que nous leur connaissons aujourd'hui par la physiothérapeute américaine Eunice Ingham, dans les années 1930.

➡ Cette pratique, considérée par la science occidentale comme une simple manipulation relaxante, s'apparente davantage à l'acupuncture qu'aux massages, puisqu'elle repose sur une approche « énergétique » du corps — on rééquilibre les tensions des différentes parties de l'organisme en stimulant la zone correspondante sur les mains, les pieds ou même l'oreille.

➡ Les zones réflexes plantaires et palmaires peuvent varier légèrement selon les chartes, et pour cause : il s'agit en réalité de points indicatifs, susceptibles de différer un peu selon la morphologie de chaque personne. On dit aussi que les parties du corps présentant une déficience ou une tension (par exemple, la zone des intestins, si vous avez des difficultés digestives) sont reconnaissables à la douleur, au « nœud » que l'on sent sur la zone réflexe correspondante.

Attention !

La réflexologie est sans aucun danger sur un sujet sain. On ne la pratiquera toutefois pas sur des personnes atteintes de maladies graves ou de pathologies cardiovasculaires, puisqu'elle peut stimuler la circulation, ni sur une femme enceinte, sauf sur avis médical.

Zones réflexes

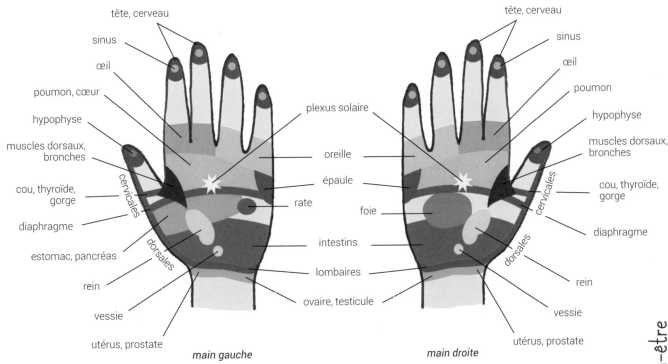

tête, cerveau
sinus
œil
poumon, cœur
hypophyse
muscles dorsaux, bronches
cou, thyroïde, gorge
diaphragme
estomac, pancréas
rein
vessie
utérus, prostate
cervicales
dorsales

plexus solaire
oreille
épaule
rate
intestins
lombaires
ovaire, testicule

main gauche

tête, cerveau
sinus
œil
poumon
hypophyse
muscles dorsaux, bronches
cou, thyroïde, gorge
diaphragme
rein
vessie
utérus, prostate
cervicales
dorsales

plexus solaire
foie

main droite

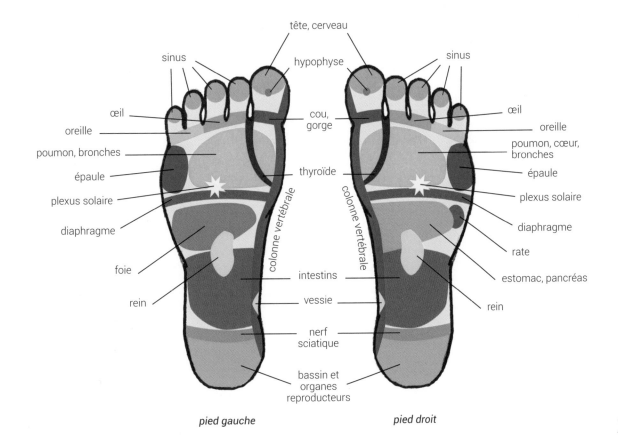

tête, cerveau
sinus
œil
oreille
poumon, bronches
épaule
plexus solaire
diaphragme
foie
rein
colonne vertébrale

hypophyse
cou, gorge
thyroïde
intestins
vessie
nerf sciatique
bassin et organes reproducteurs

sinus
œil
oreille
poumon, cœur, bronches
épaule
plexus solaire
diaphragme
rate
estomac, pancréas
rein
colonne vertébrale

pied gauche

pied droit

Auto-massages & bien-être

MAUX DE TÊTE

Pour vous aider à soulager vos maux de tête, vous pouvez masser différentes zones correspondant aux tempes, à la nuque, aux yeux, etc.

Effectuez une pression glissée du pouce le long de la base des orteils, là où ils rejoignent la plante de pied. Insistez particulièrement sur la base du gros orteil. Sur le gros orteil également, vous pouvez appuyer avec le pouce ou l'ongle sur le côté interne, juste au-dessus de la phalange.

La main aussi...

Un point d'acupuncture sur la main pourrait soulager vos maux de tête : il se situe sur le dos de la main, à la jonction du pouce et de l'index. Appuyez dessus avec le pouce pendant quelques dizaines de secondes, puis répétez si nécessaire.

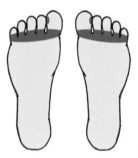

RHUME, SINUSITE...

Les zones réflexes des sinus sont situées au bout des orteils et des doigts.

Pour jouer sur les zones réflexes des sinus, vous pouvez exercer une pression sur le bout des doigts et des orteils, à l'aide du pouce ou de l'articulation pliée de l'index, ou en pinçant la pulpe avec les doigts. Effectuez des petits mouvements en appuyant bien, pendant quelques minutes si besoin, pour ressentir les effets. Enfin, il convient également de masser tout le gros orteil, autour duquel se trouvent les zones réflexes du nez et de la gorge.

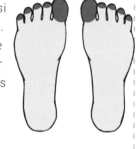

Contre le nez bouché...

En cas de congestion nasale, j'ai l'habitude de masser régulièrement toute la partie haute de mon nez, depuis la jonction avec le front vers le bas, en pinçant les deux côtés entre les doigts.

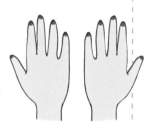

DIGESTION DIFFICILE

Les zones réflexes correspondant aux organes digestifs se situent globalement au niveau de la voûte plantaire, c'est-à-dire la partie creuse au centre du pied.

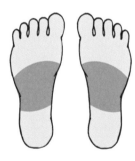

Diluez 1 ou 2 gouttes d'huile essentielle de menthe poivrée (ou toute autre huile essentielle digestive) dans quelques gouttes d'huile végétale, et massez le côté interne de la voûte en effectuant une pression de bas en haut avec le pouce. Augmentez la pression en utilisant le poing (au niveau de la jointure des doigts) si vous le souhaitez. Vous pouvez aussi dessiner des cercles au centre, dans le sens des aiguilles d'une montre, pour stimuler le transit. Répétez l'opération sur l'autre pied.

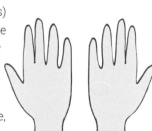

Après des excès alimentaires, ou lorsque je me sens barbouillée, j'ai aussi l'habitude de masser la zone réflexe du foie et de la vésicule biliaire sur ma main droite, située au centre de la paume, vers la gauche, entre le creux et la partie charnue.

TROUBLES DU SOMMEIL

Au centre du coussinet des gros orteils et sur leur côté extérieur se situent les zones réflexes de glandes essentielles pour un bon sommeil : l'hypophyse (qui gère globalement les sécrétions d'hormones dans l'organisme) et l'épiphyse (qui secrète la mélatonine).

En cas d'insomnie, vous pouvez effectuer des pressions sur ces zones pour aider le système endocrinien à se réguler.

N'hésitez pas non plus à masser profondément la zone correspondant au plexus solaire (voir ci-contre) avec une huile essentielle relaxante, comme la lavande vraie. Le fait d'avoir les pieds bien au chaud et relaxés peut avoir une influence bénéfique sur votre sommeil.

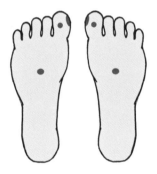

DOULEURS MENSTRUELLES

Si votre antalgique tarde à faire effet ou si vous n'en avez pas sous la main, essayez de soulager vos douleurs menstruelles en massant les zones correspondant à l'utérus et aux ovaires sur votre pied. Ces zones se situent juste derrière l'os de la cheville, des deux côtés du pied.

Massez à pleines mains juste en dessous de l'os, en remontant sur la cheville, le long du talon d'Achille. Répétez sur l'autre pied.

Il est possible aussi de maintenir une pression forte sur le point correspondant à l'utérus sous le pied, avec le pouce. Celui-ci se situe en bas de la voûte plantaire, juste avant le renflement du talon, sur le côté interne.

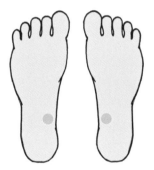

NAUSÉES ET MAL DES TRANSPORTS

Pour couper court aux nausées de façon magique (surtout dans les transports !), il suffit de maintenir une pression sur un point d'acupuncture situé sur la face interne du poignet.

On trouve l'emplacement de ce point en mesurant la distance à partir du bas de la main, qui équivaut à trois doigts collés à l'horizontale. Appuyez avec le pouce au milieu de cette zone.

Encore plus simple !

Sachez que des manchettes antinausées stimulant ce point existent en pharmacie. Elles sont équipées d'une bille qui appuie contre le poignet.

YOGA
et Pilates

J'ai toujours détesté le sport, sans doute parce que je suis maladroite et raide comme un piquet ! Pourtant, le yoga et le Pilates font partie des plus belles choses qui me soient arrivées ces dernières années.

Mon yoga du matin :
la salutation au soleil

LA SALUTATION AU SOLEIL EST UN ENCHAÎNEMENT CLASSIQUE DE POSTURES DE YOGA, QUI SE PRATIQUE GÉNÉRALEMENT LE MATIN OU POUR S'ÉCHAUFFER. IDÉALE POUR LE DÉBUT DE LA JOURNÉE, LA SALUTATION AU SOLEIL STIMULE, ÉTIRE ET TONIFIE LES MUSCLES, OUVRE LA POITRINE POUR MIEUX RESPIRER, ET ÉVEILLE L'ESPRIT EN DOUCEUR EN L'AMENANT À SE CONCENTRER SUR LES MOUVEMENTS ET LE SOUFFLE. RIEN DE MIEUX POUR DÉMARRER D'UN BON PIED !

VOICI UNE VARIATION SIMPLE DE CET ENCHAÎNEMENT, ACCESSIBLE À CHACUN, QUEL QUE SOIT SON NIVEAU. EFFECTUEZ-LE À VOTRE RYTHME AU MOINS DEUX FOIS, POUR CHANGER DE JAMBE, ET RÉPÉTEZ LE CYCLE AUTANT QUE VOUS LE SOUHAITEZ. FAITES DES INSPIRATIONS ET EXPIRATIONS PROFONDES AU RYTHME DE VOS MOUVEMENTS.

Déroulé complet de l'exercice
descriptions détaillées dans les pages suivantes

243

1 Placez-vous debout à l'avant du tapis, les pieds joints, les mains en prière devant la poitrine. Inspirez, expirez.

2 À l'inspiration suivante, levez les bras vers le ciel et étirez-vous bien, en cambrant légèrement le dos si nécessaire.

3 Expirez et relâchez le buste vers l'avant, de façon à vous plier en deux, la poitrine tendant à toucher les cuisses. Si vous manquez de souplesse, pliez les genoux pour ne pas ressentir de tension dans le dos.

4 À l'inspiration suivante, posez le bout des doigts au sol pour vous appuyer et étirez la jambe droite derrière vous. La jambe gauche est pliée, le mollet perpendiculaire au sol et la poitrine contre la cuisse. La jambe droite est étendue vers l'arrière, le genou posé au sol. Relevez la tête, regardez vers le haut et ouvrez la poitrine en roulant les épaules vers l'arrière.

Attention !

Soyez doux(ce) avec votre corps

Laissez à votre corps le temps de s'habituer aux postures et ne forcez pas, sous peine de vous blesser. Si vous souffrez de problèmes aux genoux, au dos ou à la nuque, effectuez ces exercices avec prudence, et évitez toute posture qui provoque des douleurs. En cas de grossesse, ne les pratiquez pas sans l'avis d'un spécialiste.

5 Retenez votre souffle pour passer en planche : la jambe gauche, qui était pliée en avant, rejoint la jambe droite en arrière et les deux se tendent, les talons étirés vers l'arrière, en prenant appui sur la pointe des pieds. Vos bras sont tendus, les paumes des mains en appui sur le sol. Tout le corps se gaine.

6 En expirant, descendez les genoux au sol, puis la poitrine, et glissez jusqu'à être allongé(e) sur le ventre, les paumes de main toujours posées sur le sol.

7 Inspirez et levez légèrement la tête et le haut du buste pour courber doucement le dos vers l'arrière, les coudes près du corps, les mains appuyées sur le sol. Regardez vers le haut ou vers l'avant.

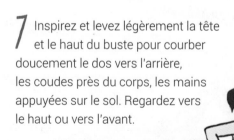

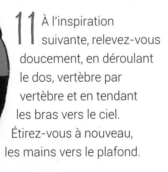

8 Expirez et relâchez le buste. Poussez sur les bras et pliez les genoux de façon à repasser par une position à quatre-pattes, puis prenez appui sur la pointe des pieds pour vous étirer vers l'arrière et tendez les jambes pour venir vous placer en V inversé : les os des fesses sont repoussés vers le plafond, le dos est bien droit, les bras sont tendus, les mains pressées contre le sol. Vous pouvez rester en appui sur la pointe des pieds, ou poser les pieds à plat sur le sol si vous y parvenez, et plier légèrement les genoux pour éviter les tensions dans le bas du dos.

9 À l'inspiration suivante, repassez la jambe gauche vers l'avant, le pied gauche entre les mains pour retrouver la posture 4. La jambe gauche est pliée, le mollet perpendiculaire au sol et la poitrine contre la cuisse. La jambe droite est étendue vers l'arrière, le genou posé au sol. Relevez la tête, regardez vers le haut et ouvrez la poitrine en roulant les épaules vers l'arrière.

10 Expirez, ramenez le pied doit vers l'avant à son tour, pour vous retrouver dans la flexion avant de la posture 3. Vous êtes plié(e) en deux, le haut du corps est totalement relâché vers le bas et tend à toucher les cuisses.

11 À l'inspiration suivante, relevez-vous doucement, en déroulant le dos, vertèbre par vertèbre et en tendant les bras vers le ciel. Étirez-vous à nouveau, les mains vers le plafond.

12 Soufflez, et redescendez les mains en prière devant le front, puis la poitrine. Inspirez et expirez à nouveau dans cette posture avant de répéter l'enchaînement une deuxième fois en changeant de jambe (cette fois, c'est la jambe droite qui sera étirée derrière vous).

Finissez votre séance en vous relaxant, allongé(e) sur le sol, le temps de quelques respirations, pour que le cœur retrouve son rythme habituel.

Mon yoga souplesse

JE NE SUIS PAS DU TOUT SOUPLE DE NATURE. COMME BEAUCOUP, J'AI LONGTEMPS CRU LE YOGA RÉSERVÉ
AUX PERSONNES TRÈS FLEXIBLES. EN RÉALITÉ, C'EST PRESQUE LE CONTRAIRE : CETTE DISCIPLINE
EST UN MERVEILLEUX MOYEN D'ÉTIRER PETIT À PETIT SES MUSCLES ET DE MOBILISER DAVANTAGE
SES ARTICULATIONS, POUR AMÉLIORER LEUR SOUPLESSE. LE FAIT D'ÊTRE UN PEU RAIDE EST
UNE RAISON SUPPLÉMENTAIRE DE S'Y METTRE! LOIN D'ÊTRE UN ACQUIS, L'ÉLASTICITÉ DU CORPS
PEUT TOUJOURS S'AMÉLIORER, À TOUT ÂGE. UNE SEULE CONDITION : PRENDRE SON ÉTAT
AVEC LE SOURIRE, ET Y TRAVAILLER DANS LA DOUCEUR ET LE RESPECT DE SON CORPS.

QUELQUES EXERCICES SIMPLES ET ADAPTABLES À CHACUN, COMME CEUX QUE JE VOUS PROPOSE
CI-DESSOUS, DONNENT DE BONS RÉSULTATS LORSQU'ILS SONT PRATIQUÉS AVEC CONSTANCE.
VEILLEZ À VOUS ÉCHAUFFER AVANT DE LES APPLIQUER, ET ÉVITEZ ABSOLUMENT
DE FORCER LES ÉTIREMENTS : MIEUX VAUT COMMENCER DOUCEMENT ET LAISSER LE TEMPS
À VOS MUSCLES DE SE DÉTENDRE. (LE NOM EN ITALIQUE ENTRE PARENTHÈSE EST
CELUI DE LA POSTURE EN SANSKRIT, SOUVENT UTILISÉ PAR LES PROFESSEURS DE YOGA).

POSTURE DE LA TÊTE D'AIGUILLE
(Sucirandhrasana)

Allongez-vous sur le dos, les jambes pliées, les plantes des pieds au sol.

Levez la jambe droite et posez la cheville droite sur la cuisse gauche.
Décollez ensuite le pied gauche du sol et attrapez la cuisse gauche avec les
deux mains, en les croisant derrière ; vous pouvez aussi attraper le mollet
en croisant les mains sur le tibia.

Doucement, ramenez la jambe gauche vers la poitrine, avec les mains et
les pieds flexes, jusqu'à sentir un étirement : à vous de le doser selon vos
sensations. Respirez profondément et détendez complètement la jambe
droite pour bien ouvrir la hanche.

Revenez à la position initiale et répétez l'exercice avec
l'autre jambe.

Zones assouplies
Ouverture des hanches et du bassin,
arrière des jambes.

POSTURE DU CHIEN TÊTE EN BAS *(Adho Mukha Svanasana)*

Placez-vous à quatre pattes sur le tapis, les mains ouvertes à plat, juste en dessous des épaules, et les pieds écartés de la largeur des hanches. Mettez-vous sur la pointe des pieds pour prendre appui sur les orteils, puis poussez sur les bras et les jambes pour faire monter le bassin vers le haut.

Ajustez la distance entre vos points d'appui en faisant des petits pas vers l'avant sur les mains, en conservant le dos bien droit. Avec les genoux pliés si besoin, repoussez tout le poids du corps vers l'arrière, ce qui libérera vos poignets (vos mains ne seront plus qu'un appui) et allongera votre colonne vertébrale. Poussez les fesses vers le ciel. Roulez les épaules vers l'arrière pour ouvrir la poitrine et éviter les tensions.

Marchez un peu « sur place » : fléchissez un genou tandis que vous étirez l'autre jambe en plaquant le pied opposé sur le sol, et ainsi de suite 5 à 10 fois pour vous assouplir. Si vous vous sentez à l'aise, terminez la posture en tendant les jambes pendant quelques respirations ; sinon, gardez les genoux légèrement pliés, l'essentiel étant d'avoir le dos bien droit – vous gagnerez en étirement avec la pratique.

Zones assouplies : Arrière des jambes.

POSTURE DU DEMI-PONT *(Setu Bandha Sarvangasana)*

Allongez-vous sur le dos, les jambes pliées, les plantes des pieds au sol et les bras le long du corps. Inspirez profondément. À l'expiration suivante, poussez fortement sur les pieds tout en contractant les fessiers pour lever le bassin vers le ciel. Maintenez la posture en mobilisant les muscles du dos et des fesses pour ne pas relâcher le bassin.

Pour approfondir l'étirement, vous pouvez réunir les mains sous le dos, en roulant les épaules vers l'arrière.

Zones assouplies : Hanches, abdomen et poitrine.

POSTURE DU PAPILLON *(Baddha Konasana)*

Asseyez-vous, le dos bien droit, les jambes tendues devant vous, les ischions (les os des fesses) bien ancrés sur le tapis. Pliez les jambes et collez les plantes de pieds l'une contre l'autre.

Saisissez vos pieds par l'extérieur, comme pour ouvrir un livre. Pressez les talons l'un contre l'autre et détendez les muscles des jambes pour les laisser retomber doucement vers le sol, sans forcer. Maintenez la posture pendant plusieurs respirations. Pour renforcer l'étirement, vous pouvez choisir de pencher votre buste vers vos jambes, en faisant pivoter le bassin vers l'avant, à condition de garder le dos bien droit.

Zones assouplies : Hanches.

Mes postures de relaxation préférées

QUAND ON A UNE VIE TRÈS ACTIVE ET BEAUCOUP
DE RESPONSABILITÉS, IL N'EST PAS RARE QUE
DES TENSIONS S'ACCUMULENT DANS CERTAINS
POINTS STRATÉGIQUES DU CORPS. ON A LES ÉPAULES
ET LE DOS DOULOUREUX, LA NUQUE RAIDE,
LA POITRINE ET L'ABDOMEN COMPRIMÉS.

EN GRANDE STRESSÉE CHAMPIONNE
DE LA SOMATISATION, J'AI APPRIS À UTILISER
LE YOGA POUR ME DÉTENDRE PHYSIQUEMENT
ET MENTALEMENT. LE YIN YOGA, PAR EXEMPLE,
GRÂCE À SES POSTURES PLUS DOUCES ET
TENUES PLUS LONGUEMENT, PERMET DE RELAXER
EN PROFONDEUR LES «NŒUDS» DU CORPS,
DE RETROUVER DAVANTAGE DE SOUPLESSE,
ET D'OUVRIR LA POITRINE POUR MIEUX RESPIRER.

VOICI UNE SÉLECTION DE MES EXERCICES
PRÉFÉRÉS APRÈS UNE JOURNÉE STRESSANTE
TOUS SONT ADAPTÉS AUX DÉBUTANTS,
ALORS N'HÉSITEZ PAS À VOUS LANCER !

TORSION DU DOS ALLONGÉE *(Supta Matsyendrasana)*

En position allongée sur le dos, pliez les jambes, pieds au sol. Ouvrez les bras en croix. Laissez tomber doucement les deux jambes pliées sur la gauche en maintenant les genoux aussi proches que possible et posez-les au sol. Tournez la tête du côté opposé et maintenez la posture durant quelques respirations calmes et profondes. Pour augmenter légèrement l'étirement des jambes, vous pouvez appuyer la main droite sur le genou du dessus. Faites la même chose de l'autre côté : jambes sur la droite, et tête tournée vers la gauche.

Bienfaits

★ Assouplit la colonne vertébrale, les muscles du bas du dos et des cuisses.
★ Masse les organes et stimule la fonction digestive.
★ Étire les épaules.

POSTURE DE LA DÉESSE DU SOMMEIL (Supta Baddha Konasana)

En position allongée sur le dos, les bras au sol, légèrement écartés, les genoux joints et fléchis, les pieds à plat sur le sol. Joignez les plantes des pieds et relâchez les muscles pour faire jouer la gravité : les genoux tombent naturellement vers l'extérieur et le sol. Respirez profondément et maintenez la posture autant que vous le souhaitez.

Pour revenir à la position allongée, aidez-vous des mains pour remonter doucement les genoux, puis glissez les jambes pour les allonger au sol.

Bienfaits
- ★ Étire les hanches, l'intérieur des cuisses et l'aine.
- ★ Détend l'abdomen.
- ★ Libère la zone du bassin de ses tensions (notamment en cas de douleurs menstruelles).
- ★ Stimule la circulation.
- ★ Calme le système nerveux.

Variante plus accessible

Si cette posture vous semble inconfortable, munissez-vous de trois coussins. Placez-en un dans le bas de votre dos, qui tend à se cambrer et sera donc mieux soutenu, ainsi qu'un sous chacun des genoux, afin qu'ils puissent reposer dessus sans tension.

POSTURE DE L'ENFANT (Balasana)

En position assise sur les talons, le dos droit, écartez légèrement les genoux. Allongez ensuite le buste sur les cuisses, de façon à relâcher complètement votre poids vers le sol. Vous pouvez laisser reposer le front sur le sol, les bras allongés le long du corps ou étirés devant vous. Alternativement, pour détendre davantage la nuque, reposez le visage sur les mains jointes, paumes sur le sol. Maintenez cette posture au moins 30 secondes pour laisser à votre corps le temps de se détendre en profondeur.

Bienfaits
- ★ Favorise la relaxation, calme le système nerveux.
- ★ Étire légèrement les cuisses, les hanches et les chevilles.
- ★ Soulage le dos et le cou.
- ★ Masse les organes internes.

POSTURE DE LA SUPPRESSION DU VENT
(Pavanamuktasana)

En position allongée sur le dos, repliez doucement les genoux vers le buste et entourez les tibias avec les bras pour les maintenir contre vous. Relevez la tête vers les genoux, sauf si vous ressentez une forte tension dans la nuque (dans ce cas, laissez reposer la tête au sol). Si cela vous fait du bien, balancez-vous légèrement de gauche à droite pour masser la colonne vertébrale.

Bienfaits

* ★ Masse les organes digestifs.
* ★ Tonifie les muscles des bras et les abdominaux.
* ★ Masse et étire le bas du dos.

JAMBES CONTRE LE MUR
(Viparita Karani)

Disposez le tapis perpendiculairement à un mur. Face au mur, allongez-vous sur le tapis de façon à ce que vos fesses soient collées contre la paroi. Étirez et montez les jambes à la verticale contre le mur, serrées l'une contre l'autre ou plus écartées selon vos préférences. Étendez les bras sur le sol, paumes vers le haut. Détendez-vous et restez dans cette position pendant quelques minutes.

Bienfaits

* ★ Tonifie les abdominaux.
* ★ Stimule la circulation dans les jambes.
* ★ Détend les muscles des jambes.

Variante plus accessible

Si cette posture vous semble inconfortable au niveau du dos, placez un coussin ou une couverture repliée sur elle-même sous vos reins, afin d'y reposer tout votre poids et soulager la zone lombaire.

Mes exercices de Pilates préférés pour le gainage

SI COMME MOI, VOUS N'ÊTES PAS TRÈS SPORTIF(VE), PEUT-ÊTRE NE VOYEZ-VOUS PAS L'INTÉRÊT DE SOUFFRIR EN PRATIQUANT DES EXERCICES DE MUSCULATION. EN RÉALITÉ, LE GAINAGE DU DOS ET DU VENTRE EST UNE MANIÈRE DE PRENDRE SOIN DE SOI, D'AMÉLIORER SON BIEN-ÊTRE : ON SE TIENT PLUS DROIT, ON OUBLIE LES DOULEURS DORSALES, ON SE SENT PLUS FORT... LES CONSIDÉRATIONS DE SILHOUETTE NE SONT QUE SECONDAIRES, MAIS ELLES PEUVENT ENTRER EN LIGNE DE COMPTE POUR LES PERSONNES QUI CHERCHENT À PERDRE DU POIDS ET À PRENDRE CONFIANCE EN ELLES-MÊMES.

NUL BESOIN DE SE TORTURER POUR OBTENIR UN TEL RÉSULTAT : CERTAINES MÉTHODES, COMME LE PILATES, VISENT AU CONTRAIRE À SOLLICITER LES MUSCLES PROFONDS POUR SE GAINER EN DOUCEUR TOUT EN RESPECTANT SON CORPS. RÉALISÉS RÉGULIÈREMENT, DES EXERCICES DE CE TYPE VOUS CONSTITUERONT PETIT À PETIT UNE BONNE BASE MUSCULAIRE QUI CHANGERA VOTRE VIE !

CERCLES À UNE JAMBE

Zones concernées : Ventre et cuisses.

Allongez-vous sur le dos, les bras le long du corps, les jambes pliées, la plante des pieds au sol. Inspirez et levez la jambe droite bien tendue, de telle sorte que les deux genoux se trouvent au même niveau.

Effectuez des petits cercles lents avec la jambe levée, 5 dans un sens, puis 5 dans l'autre, tout en contractant les muscles abdominaux pour que le bassin, bien plaqué au sol, ne bouge pas. Répétez l'exercice en changeant de jambe.

Vous pouvez effectuer cet exercice entre 3 et 5 fois de chaque côté.

Attention !

La respiration en Pilates

Les exercices de Pilates s'effectuent avec une respiration particulière. Les abdominaux sont contractés : on inspire profondément par le nez en ouvrant la cage thoracique sur les côtés sans bouger les épaules ni soulever la poitrine, et on expire par la bouche.

251

RELEVÉ DU BASSIN

Zones concernées

Ventre, dos, cuisses et mollets.

Allongez-vous sur le dos, les bras le long du corps, les jambes pliées, plante des pieds au sol. Inspirez profondément et levez les deux bras pour venir les étirer derrière vous.

À l'expiration suivante, relevez lentement le bassin vers le ciel, comme un bloc, tout en ramenant les bras tendus le long du corps. Le but est de former une ligne droite du milieu du dos jusqu'aux genoux, tous les muscles bien gainés. Tenez quelques secondes, puis inspirez, et revenez à votre position initiale en synchronisant la descente des bras vers l'arrière et du bassin vers le sol.

Effectuez ces mouvements 10 à 15 fois, lentement, avec concentration.

ABDOMINAUX ENROULÉS

Zones concernées

Ventre, souplesse du dos.

Asseyez-vous sur votre tapis, le dos droit, les jambes repliées et légèrement écartées (à la largeur des hanches, par exemple), pieds sur le sol. Pendant tout l'exercice, les pieds doivent impérativement rester par terre : ne les laissez pas se soulever !

Inspirez profondément et tendez les bras devant vous. À l'expiration, baissez la tête vers la poitrine, et amenez lentement le dos vers le sol en l'arrondissant pour qu'il se plaque sur le tapis vertèbre par vertèbre, du coccyx au cou. Une fois le buste allongé, faites le mouvement inverse pour revenir en position assise, en décollant progressivement chaque vertèbre. Vos bras peuvent être tendus en face de vous, ou, si c'est trop difficile, vos mains peuvent prendre appui sur vos jambes pliées – en prenant soin de ne pas laisser vos pieds se décoller du sol.

Répétez ce mouvement 10 fois, lentement.

BATTEMENTS DE JAMBE

Zones concernées

Fessiers, ventre, cuisses et hanches.

Étendez-vous sur le côté droit, les jambes tendues légèrement vers l'avant pour vous sta-
biliser, et posées l'une au-dessus de l'autre.
La hanche gauche est juste au-dessus de
la hanche droite. Vous pouvez poser la tête sur
le bras au sol, ou plier celui-ci pour appuyer
la tête dans la main, selon ce qui vous paraît
le plus confortable. La main supérieure est
posée devant la poitrine, paume sur le sol,
et les abdominaux sont contractés pour
maintenir le corps en place : le bassin ne
doit pas bouger durant l'exercice.

1. Levez la jambe gauche en inspirant, puis des-
cendez-la en expirant, sans la poser au sol, et
répétez ce mouvement 5 à 10 fois.

Effectuez ensuite de grands cercles avec la
jambe, en inspirant pendant qu'elle monte vers le
ciel et en expirant quand elle redescend. Répétez
ce mouvement 5 fois dans le sens des aiguilles
d'une montre, puis 5 fois dans le sens inverse.

2. Enfin, posez le genou de la jambe du dessus au
sol devant vous, à la hauteur des hanches. Levez
la jambe inférieure tendue, pied pointé, à chaque
inspiration. Répétez ce mouvement 10 fois.

Effectuez cet ensemble de battements 2 fois, une
de chaque côté.

Yoga & Pilates

Index des recettes

V-Y

Crédits photographiques

Toutes les photos sont de Victoria Arias, sauf :

Remerciements

Le livre que vous tenez entre les mains a été un travail de longue haleine,
qui n'aurait pas été possible sans l'appui de nombreuses personnes.

Merci à Anne Dubndidu, qui m'a permis de présenter mon projet à cette excellente maison d'édition !

Un immense merci à toute l'équipe qui a travaillé sur ce projet, avec une mention toute particulière
à Catherine Delprat, Nathalie Cornellana, Catherine Maillet, et Jacqueline Gensollen-Bloch
pour le graphisme. Vous avez porté mon idée avec enthousiasme et m'avez aidée à en faire un livre
cohérent, riche et beau. Merci pour toutes les heures que vous avez dédiées à cet ouvrage ;
merci pour votre expertise, vos bons conseils et vos réponses rassurantes quand je doutais.

Merci à mon compagnon, Alejandro, qui m'a soutenue avec amour pendant toute la conception de *Green Life*,
alors que je n'étais pas de très bonne compagnie. Merci pour tes encouragements, ta patience, et
pour toute ton aide à la maison quand je passais mes journées et mes nuits devant l'ordinateur.

Merci à ma famille, qui a cru en moi, m'a encouragée et soutenue au fil des mois, et à tous nos proches,
qui ont suivi l'avancement de mon travail avec bienveillance. Merci à mes amis de Paris, Lyon, Lille, Amsterdam,
Angleterre et Colombie pour leur écoute, leur enthousiasme et leur gentillesse dans mes moments de fatigue.

Merci à David et Norma pour leurs bons conseils à propos du gazpacho, à Ophélie du blog
Antigone XXI pour son excellente astuce de la purée d'oléagineux dans les crêpes vegan,
et au blog Blogilates qui a popularisé l'idée des pancakes aux bananes !

Merci à ma communauté de lectrices et abonnés qui, grâce à leur soutien, à leur confiance
et à leur fidélité, me permettent de dédier ma vie à quelque chose qui me ressemble.
Je ne serais pas là sans vous aujourd'hui, et ce livre n'existerait pas. Merci pour tout
ce que vous m'apportez, merci de m'inciter à donner le meilleur de moi-même chaque jour !

Enfin, j'envoie aussi une pensée à ma Mamie adorée. Je suis sûre que de là-haut, tu es très fière de moi.

Imprimé en Espagne par Estella Graphicas
Dépôt légal : mars 2017
318496/01 – 11033658 – février 2017